CW
DROS
Y CWM

Nofel am drychineb Senghennydd, 1913

Gareth F. Williams

Darluniau gan Graham Howells

Gwasg Carreg Gwalch

Argraffiad cyntaf: 2013

Rhif Llyfr Safonol Rhyngwladol:
978-1-84527-440-5

Cyhoeddwyd gyda chymorth Cyngor Llyfrau Cymru

Dylunio: Elgan Griffiths

Cyhoeddwyd gan Wasg Carreg Gwalch,
12 Iard yr Orsaf, Llanrwst, Dyffryn Conwy, Cymru LL26 0EH.
Ffôn: 01492 642031
Ffacs: 01492 642502
e-bost: llyfrau@carreg-gwalch.com
lle ar y we: www.carreg-gwalch.com

Argraffwyd a chyhoeddwyd yng Nghymru

Er parchus gof am golledion Senghennydd,

1901 a 1913.

•

'Pedwerydd ar ddeg o Hydref

A gofiant trwy eu hoes . . .'

Evan Williams

Cae Pawb

Ymsythodd John Williams yn ei gadair.

'Dwi am biciad draw i Gae Pawb,' meddai.

'Felly dwi'n gweld,' meddai Betsan ei wraig; roedd hi wedi'i wylio'n tuchan wrth iddo stryffaglu i wthio'i draed i mewn i'w welintons. Gerddi ar osod oedd Cae Pawb, ac yno roedd John yn byw ac yn bod ers iddo ymddeol.

'Gaddo glaw roeddan nhw, cofia,' meddai Betsan.

'Pah!' Tynnodd John ei gôt amdano.

A be oedd hynna'n ei feddwl, sgwn i? meddyliodd Betsan. 'Pah! Dim ots gen i am rywfaint o law!' neu 'Pah! Fedri di ddim coelio gair ma'r pobol tywydd yna'n ei ddeud!'?

Ond yn lle'i holi ynglŷn â hynny, gofynnodd Betsan iddo, 'John, w't ti'n teimlo'n iawn?'

'Be? Ydw, siŵr. Pam?' atebodd ei gŵr yn biwis.

'Rw't ti wedi bod yn ddistaw iawn ers dyddia,' meddai Betsan. 'Ac yn flin fel tincar. Be sy'n bod?'

Cyn i John fedru ei hateb, clywsant lais yn galw o'r drws:

'Oes 'na bobol?'

Ochneidiodd John yn ddiamynedd.

'Oes, tad!' galwodd Betsan, cyn troi a gwgu ar ei gŵr. 'Be ydi'r matar efo chdi, ddyn? *Rhian* ydi hi – dy ferch dy hun!'

'Mi wn i hynny, siŵr.'

Daeth Rhian drwodd atyn nhw i'r gegin, a synnodd y ddau o weld fod Geraint, ei mab deng mlwydd oed, efo hi.

'Be ydi hyn?' rhyfeddodd Betsan. 'Ydi'r athrawon i gyd ar streic, neu rywbath?'

'Peidiwch â sôn,' meddai Rhian. 'Newydd fod yn gweld y deintydd rydan ni. Roedd *rhywun* yn effro drwy'r nos neithiwr efo'r ddannodd.'

'Y ddannodd?'

Rhythodd John Williams ar y bachgen druan fel petai o erioed wedi clywed y gair o'r blaen.

'Roedd gen ti'r ddannodd – *heddiw*?' meddai.

'Neithiwr roedd o waethaf arno, Dad,' meddai Rhian, gan edrych ychydig yn od ar ei thad. Be oedd yn bod arno, tybed?

'Mae o wedi mynd rŵan, Taid,' meddai Geraint. 'Efo'r dant.' Tynnodd hances bapur waedlyd o'i boced a'i hagor i ddangos y dant yn gorwedd yno.

Fel arfer, byddai John Williams wedi gwneud môr a mynydd

o rywbeth fel hyn. Ond nid heddiw. Y cwbwl a wnaeth o heddiw oedd ysgwyd ei ben unwaith neu ddwy a throi am y drws.

'Mi fydda i'n ôl at ginio,' meddai dros ei ysgwydd.

'O – cyn i chi ddiflannu,' meddai Rhian. 'Ydach chi am ddŵad draw heno 'ma?'

'Pam?'

'Mae 'na raglen arbennig ar y teledu.' Doedd dim teledu gan John a Betsan, dim ond y weiarles fawr frown mewn cornel o'r parlwr cefn. 'Am Senghennydd. Mae hannar can mlynedd ers y digwyddiad. *Cofio Senghennydd* ydi enw'r rhaglen, am hannar awr wedi saith . . .'

Tawodd Rhian. Roedd John yn syllu arni fel petai hi newydd boeri yn ei wyneb.

'Pam faswn i isio gwylio rhywbath felly!' arthiodd, ac allan â fo, gan gau'r drws ar ei ôl â chlep uchel.

Awr yn ddiweddarach, eisteddai John yn ei gwt yn gwylio'r glaw yn sgubo dros Gae Pawb.

Roedd Betsan – a'r bobol-deud-y-tywydd ar y radio – yn iawn, meddyliodd.

'Ond doeddat *ti* ddim yn iawn, John Williams,' meddai wrtho'i hun, 'yn ymddwyn fel y gwnest ti gynna. A Geraint, y creadur bach, ond newydd fod yn cael tynnu'i ddant.'

Er, mae'n rhaid dweud, roedd hynny'n gyd-ddigwyddiad od ar y naw – bod Geraint wedi dioddef o'r ddannodd *heddiw*, o bob diwrnod.

Oherwydd dyna'n union a ddigwyddodd i dad John Williams.

Hanner can mlynedd yn ôl, i'r diwrnod.

Yn Senghennydd.

Ochneidiodd John yn uchel. 'Rw't ti wedi bod yn ddistaw ers dyddia,' oedd geiriau Betsan, yntê? 'Ac yn flin fel tincar.' Roedd hi yn llygad ei lle hefyd. Doedd John ddim yn ddyn distaw fel arfer, nac yn hen gingron blin chwaith, ond roedd heddiw wedi bod ar ei feddwl ers wythnosau lawer.

Cofio Senghennydd, wir. Doedd arno fo ddim angen help rhyw raglen deledu i gofio Senghennydd, diolch yn fawr iawn. Doedd dim un diwrnod yn mynd heibio heb iddo feddwl am Senghennydd – er bod bron iawn i hanner can mlynedd ers iddo ffarwelio â'r lle.

Onid yno y collodd John Williams ei dad a'i ffrind gorau?

Nawr, wrth iddo wrando ar y glaw'n byrlymu ar do ei gwt bychan clyd yng Nghae Pawb, crwydrodd ei feddwl yn ôl dros y blynyddoedd . . . i Senghennydd.

Rhan 1

SHWMA'I, BYTI?

Y Llythyr

Eisteddai Cêti Williams, mam John, yn hollol lonydd a'r llythyr yn agored ar y bwrdd o'i blaen.

Roedd hi wedi ei ddarllen o, gwyddai John. Fwy nag unwaith, o adnabod ei fam. Ond doedd hi ddim hyd yn oed yn edrych arno fo nawr. Roedd ei meddwl yn bell, bell yn rhywle arall.

Ac roedd ei llygaid yn sgleinio'n wlyb.

Dyna sut y gwyddai John yn syth bìn mai hwn oedd *y* llythyr. Ond roedd yn rhaid iddo ofyn yr un fath.

'Mam . . .?' meddai. 'Ydi o . . . ydi llythyr Nhad wedi dŵad?'

Edrychodd John ar y ddwy dudalen ar y bwrdd, a sgwennu traed brain ei dad yn eu llenwi. Am eiliad, daeth o fewn dim i gipio'r llythyr oddi ar y bwrdd, ei rwygo'n ddarnau mân a gollwng y darnau fesul un i mewn i dân y gegin. Ond wrth gwrs, fasa hynny'n newid dim byd.

'Hwnna ydi o, Mam?' gofynnodd.

Nodiodd Cêti Williams yn araf heb edrych ar ei mab.

'Ia, John bach, hwnna ydi o,' meddai. 'Mae o wedi dŵad o'r diwadd.'

A dechreuodd Cêti feichio crio.

Roedd streic fawr y chwarel – a barodd am dair blynedd – wedi cael effaith ofnadwy ar yr ardal. A nemor ddim arian yn dod i'r tŷ, roedd yn rhaid i Edward Williams, tad John, ynghyd â llawer o ddynion eraill, chwilio am waith yn rhywle arall.

Clywodd fod digon o waith i'w gael yn y pyllau glo yn Ne Cymru. Un bore cynnes o wanwyn, felly, i ffwrdd â fo ar y trên.

'Cyn gyntad ag y bydda i wedi cael fy nhraed odanaf, mi gewch chitha ddŵad ata i,' meddai wrth Cêti, John a Magwen. 'Fydda i ddim yn hir, gewch chi weld. Un diwrnod mi fyddwch chitha'n teithio ar y trên yma, yr holl ffordd i lawr i'r Sowth.'

A nawr, yn ôl y llythyr ar y bwrdd, a'i ysgrifen traed brain, roedd y diwrnod hwnnw ar fin gwawrio.

'Pryd w't ti'n mynd, felly?' gofynnodd Now.

Eisteddai'r ddau hogyn ar ochr y mynydd, yn edrych i lawr dros y pentref.

'Dwn i'm,' atebodd John. 'Ond yn reit handi. Mi fyddwn ni yno cyn i ni droi rownd, medda Mam.'

'Argol fawr!'

Rhythodd Now arno. Roedd o'n amlwg yn ei chael hi'n anodd dychmygu hyn.

'Cyn i chi droi rownd!' rhyfeddodd. 'Be nesa?'

Roedd yn rhaid i John edrych i ffwrdd – roedd ei lygaid wedi dechrau llosgi fwyaf sydyn. Mi fydd gen i'r hiraeth mwyaf ofnadwy ar ôl yr hen Now, meddyliodd, neu Now Be Nesa, fel roedd pawb yn ei alw. Doedd ond eisiau i Now glywed am unrhyw beth bach a oedd allan o'r cyffredin iddo fo ryfeddu a dweud, 'Be nesa?'

'Ro'n i'n meddwl fod y Sowth yn o bell i ffwrdd,' meddai Now.

'O, mae o,' atebodd John.

'O? Ond rw't ti newydd ddeud y byddwch chi yno cyn i chi droi rownd.'

'Do, wn i. Ond ma rhai petha'n gallu digwydd yn gyflym iawn weithia,' meddai John.

Petha dwi ddim *isio* iddyn nhw ddigwydd, meddyliodd John. Ma'r rheiny wastad yn dŵad ar garlam. Doedd o ddim am ddweud hynny wrth Now, chwaith, gan ei fod yn gwneud ei orau glas i fod yn ddewr.

Ond roedd fel petai Now wedi darllen ei feddwl.

'W't ti'n edrach ymlaen at fynd i'r Sowth?' gofynnodd.

'Yndw, siŵr!' atebodd John yn rhy sydyn. 'Fedra i ddim aros, Now.'

'Na fedri?'

'Na fedra i, wir.'

'Wela i,' meddai Now.

Bu tawelwch rhwng y ddau am rai munudau. Pan siaradodd Now o'r diwedd, roedd ei lais yn crynu mewn ffordd go ryfedd.

'Fedra inna ddim aros chwaith,' meddai.

'Be . . .?' gofynnodd John. 'Be ti'n feddwl?'

'Fedra inna ddim aros i chdi fynd,' meddai Now. Cododd yn sydyn a rhedeg i lawr llwybr y mynydd nerth ei draed.

'Now!' gwaeddodd John ar ei ôl. 'Now – aros!'

Ond roedd Now Be Nesa wedi mynd.

Ychydig iawn a welodd John ar ei ffrind dros yr wythnosau nesaf. Roedd yntau'n o brysur hefyd, a chafodd gryn dipyn o ail pan sylweddolodd fod mudo'n waith mor galed. Yn enwedig efo Magwen, ei chwaer fach, o dan draed drwy'r amser ac yn un bwndel o gyffro gwyllt. 'O leia mae un ohonan ni'n edrach ymlaen at fynd i'r De,' clywodd John ei fam yn dweud wrth Leusa Huws drws nesa un diwrnod.

Ac fel y dywedodd ei fam, cyrhaeddodd y Diwrnod Mynd bron cyn i John droi rownd. Roedd llawer o bobol wedi dod efo nhw i'r orsaf i ffarwelio, ond methodd John â gweld wyneb Now yn eu canol.

Wrth i'r trên gychwyn hercian o'r orsaf, fodd bynnag, dyna lle roedd Now yn sefyll yng nghysgod un o'r tryciau yn y seiding. Edrychodd y ddau hogyn ar ei gilydd, yna dechreuodd Now godi'i fraich i chwifio cyn gadael iddi syrthio'n llipa'n ôl i lawr, fel petai hi'n rhy drwm iddo fedru'i chodi hi'n uwch.

Yna trodd a cherdded yn ei ôl am adra.

Adra, meddyliodd John. Adra . . .

Roedd y gair bach hwn yn ddigon i lenwi'i lygaid â dagrau.

'Dyna ddigon o ryw hen lol plentynnaidd fel'na, John Williams,' dwrdiodd ei hun. 'Ma'n rhaid bod yn bositif, er mwyn Mam a Magwen. Mi fydd gen i Adra newydd rŵan,' meddai drosodd a throsodd wrtho'i hun.

Adra newydd . . . Adra newydd . . . Adra newydd . . .

Adra Newydd

'Tŵr Babel,' meddai Cêti Williams droeon yn ystod yr wythnosau cyntaf hynny. 'Dyna be ydi'r lle 'ma – Tŵr Babel.'

Roedd John wedi clywed am Dŵr Babel yn yr Ysgol Sul, pan oedd o'n dal i fyw yn yr Hen Adra. Rhyw le yn y Beibil oedd o, lle roedd pawb yn paldaruo mewn gwahanol ieithoedd.

'Oeddan nhw'n siarad Cymraeg yno hefyd?' gofynnodd i'w athro Ysgol Sul, Daniel Elis.

Roedd Mr Elis yn anwesu ei fwstásh, rhywbeth a wnâi bob tro y byddai'n ansicr o rywbeth.

'Mae'n siŵr gen i eu bod nhw, John,' atebodd o'r diwedd. 'Cymraeg o ryw fath, beth bynnag.'

Meddyliodd John yn reit aml am eiriau Mr Elis yn ystod ei wythnosau cyntaf yn Senghennydd. Ond daeth i sylweddoli'n fuan mai dim ond *swnio* fel petaen nhw'n siarad iaith wahanol oedd yr holl bobol a glywai o'i gwmpas ar y strydoedd. Acen wahanol oedd ganddyn nhw. Saesneg oedd yr unig iaith arall a glywodd o, a doedd honno ddim yn ddieithr iddo fo. Fesul tipyn, daeth i adnabod acenion pobol o Iwerddon a phobol o'r Alban, yn ogystal â phobol a oedd wedi dod yno i weithio o wahanol lefydd yn Lloegr – o Gernyw ac o Wlad yr Haf, o Ogledd Lloegr ac o Lundain a Lerpwl.

A phobol o Gymru ei hun, wrth gwrs.

Ond, ar y cychwyn, roedd yna broblem fechan.

'Ydach chi'n eu dallt nhw'n siarad, Nhad?' gofynnodd John.

'Odw glei, gwboi!' atebodd ei dad.

'*Be?!*'

Chwarddodd Edward Williams. Dyn tal oedd tad John, a chanddo wallt du, syth a mwstásh a dyfai i lawr heibio i ochrau'i geg.

'Yndw, yn o lew, 'rhen ddyn,' cyfieithodd. 'Buan iawn y doi ditha i'w dallt nhw hefyd, gei di weld. Mae 'na ormod o beth wmbredd yn cael ei neud o'r lol methu-dallt-ein-gilydd 'ma. Cymry 'dan ni i gyd, yndê? Mond matar o ddŵad i arfar efo'r acen ydi o, sti.'

Doedd yr Adra Newydd – hynny yw, y tŷ ei hun – ddim yn rhy annhebyg i'r Hen Adra. Tŷ mewn rhes oedd hwn hefyd, gyda dwy lofft i fyny'r grisiau, a pharlwr, cegin a chegin fach – neu sgylyri – ar y llawr gwaelod.

A dyma i chi beth od.

Yn yr Hen Adra, roedd Edward a Cêti Williams yn talu'r

rhent am eu tŷ i Mr W. J. Parry. Yma, yn yr Adra Newydd, dyn o'r enw W. J. Paris fyddai'n galw am y rhent. Dyn bach pinc a phwysig mewn siwt a het galed oedd hwn, a mynnodd mai'r ffordd gywir o ddweud ei enw oedd 'Parîîî' – a hynny heb rowlio'r *r*, ond ei ddweud nes ei fod o'n swnio bron iawn fel *ch*, fel petai ganddo fflemsan yn ei wddf.

'Fel yna ma pobol Ffrainc yn deud "Parus", yn ôl fel dwi'n dallt,' meddai Edward Williams.

'Hy! Hen ffŵl gorchestlyd ydi o,' oedd barn Cêti am Mr W. J. Parîîî. 'Yn meddwl ei fod o'n well na phawb arall.'

'Ia, wel – dydan ni ddim isio dechra yma drwy bechu'n erbyn dyn y rhent, yn nag oes,' meddai Edward. Ysgydwodd ei ben dan wenu. 'Pwy fasa'n meddwl, yndê – W. J. Parry a W .J. Parîîî. Mae o bron iawn fel bod adra, yn tydi, Cêt?'

Ddywedodd Cêti ddim byd.

'Ac unwaith y bydd dy ddodrafn di wedi cyrradd o'r stesion – hen ddresal dy nain aballu, mi fyddi di'n teimlo'n well o lawar,' meddai Edward gan roi plwc chwareus i waelod ei gwallt.

Roedd Cêti wedi nodio a cheisio gwenu, ond sylwodd John mai gwên go gam oedd hi, a bod llygaid ei fam yn sgleinio yn yr hen ffordd ryfedd honno eto.

'Ty'd,' meddai wrth ei chwaer fach. 'Awn ni allan i'r cefn, ia? I weld be welwn ni.'

Allan yn iard gefn y tŷ, un o'r pethau cyntaf welodd John a Magwen oedd bath tun mawr, yn hongian ar ddwy hoelen o'r wal uchel a oedd rhyngddyn nhw a'r tŷ drws nesaf.

'Wel, Magi, be w't ti'n 'i feddwl o'r lle 'ma?' gofynnodd John.

Am unwaith, chafodd o ddim row ganddi am ei galw hi'n Magi. Gwelodd o nawr fod Magwen braidd yn llwyd, wedi blino'n lân ar ôl ei siwrnai hir i lawr yma, ac ar ôl yr holl gyffro o fudo.

'Dwi isio mynd adra,' meddai Magwen a'i gwefus isaf yn crynu.

Dw inna hefyd, meddyliodd John. Ond ddeudodd o mo hynny, wrth gwrs.

'Yma ydi adra rŵan,' meddai yn hytrach.

'Naci!' taerodd Magwen. Trodd mewn cylch gan edrych i fyny ac i bob cyfeiriad. 'Lle mae'r mynydd, 'ta?'

Roedd hi'n iawn, hefyd. Erbyn meddwl, sylweddolodd John, doedd yna ddim un mynydd go iawn ar gyfyl y lle.

'Dydi o ddim yn adra felly, yn nac 'di!' meddai Magwen – a rhoi waldan go galed i waelod y bath tun ar y wal.

Yn union fel petai Magwen wedi canu rhyw gloch i'w galw
nhw, ymddangosodd chwech o bennau ar ben y wal – un ar ôl
y llall ac mewn rhes. Doedd dim un corff i'w weld, dim ond y
chwe phen, a neidiodd Magwen yn ei hôl mewn braw.

Maen nhw'n edrach fel petai ryw hen frenin cas wedi'u
torri nhw i ffwrdd, meddyliodd John, ac wedi'u gosod nhw

yma wedyn, ar ben y wal, er mwyn rhybuddio pobol eraill mai dyma be fydd eich hanes chi os na wnewch chi fihafio.

(Doedd John a Magwen ddim yn gwybod hyn eto, wrth gwrs, ond y rhain oedd y Dandos – Bili, Blodwen, Sioni, Jên, Jemeima a Jo Bach.)

'Shwma'i, byti?' meddai'r pen cyntaf (Bili).

'Be ddeudodd o?' sibrydodd Magwen drwy'i dannedd, heb symud ei gwefusau.

'Y . . . gofyn lle mae'i frechdan o, dwi'n meddwl,' sibrydodd John yn ôl.

'Sut goblyn mae o'n disgwl i ni wbod peth felly?' gofynnodd Magwen.

'*Dwi'm* yn gwbod, yn nac 'dw!' sibrydodd John. Cododd ei lais. 'Ymmm . . . sori, I don't know . . .' meddai wrth y pen.

Trodd y pen cyntaf i'w chwith gan edrych i lawr y rhes ar y pum pen arall. Trodd y pump i'r dde gan edrych ar un cyntaf.

Cyn i unrhyw beth arall fedru digwydd, daeth llais dynes o rywle'n bloeddio 'HOI!' Diflannodd y pennau fesul un o ben y wal, fel petai rhywun wedi'u plwcio nhw i lawr gerfydd eu fferau – un ar ôl y llall.

Edrychodd John a Magwen ar ei gilydd.

'Ma rhywbath yn deud wrtha i,' meddai John, 'fod Nhad

wedi dŵad â ni i ryw le od ar y naw. Be ti'n ddeud, Magi . . .?
Aw!'

'Paid â 'ngalw i'n Magi!'

Rhedodd Magwen yn ei hôl i mewn i'r tŷ, a gwenodd
John. Mae *rhywun* yn dechrau teimlo'n fwy fel hi ei hun,
meddyliodd.

Y Pwll

Universal Colliery – dyna beth oedd enw'r pwll glo.

Pwll glo . . .

Yn anffodus, meddyliai John am Now Be Nesa bob tro roedd o'n dweud neu'n clywed – neu hyd yn oed yn *meddwl* am – y geiriau 'pwll glo'.

Ac roedd o'n teimlo'r hiraeth mwyaf ofnadwy yn ei frathu, fel pigyn yn ei stumog, bob tro roedd o'n meddwl am Now.

Pwll glo . . . Now druan. Doedd o ddim yn siŵr iawn beth *oedd* pwll glo. Pan ddywedodd John wrtho fod ei dad yn meddwl mynd i'r De i weithio mewn pwll glo, roedd Now wedi rhythu arno.

'Dy *dad* – ?' meddai.

'Wel, ia,' atebodd John.

'Argol, w't ti'n siŵr?'

'Dyna be ddeudodd o,' meddai John. 'Pam, be sy? Does 'na ddim gwaith i'w gal yn y chwaral, yn nag oes? A dydi pres ddim yn tyfu ar goed,' ychwanegodd. Roedd o wedi clywed ei dad yn dweud hyn, ac wedi meddwl ei fod yn swnio'n dda.

'Ydi o wedi dysgu nofio, felly?' gofynnodd Now.

'Y? Pwy?'

'Wel dy dad, yndê,' meddai Now.

'Nac 'di,' atebodd John.

'Argol, be tasa fo'n boddi?' meddai Now.

'Be ti'n feddwl – yn boddi? Boddi yn lle?' gofynnodd John.

Roedd o ar goll yn lân, ond yna meddai Now, 'Wel – yn y pwll glo 'na, yndê!' – a deallodd John beth oedd ganddo. I Now, sylweddolodd, twll yn y ddaear yn llawn o ddŵr oedd pwll, ac mae'n siŵr ei fod o, yn ei feddwl, wedi gweld Edward yn tynnu amdano ac yn neidio i mewn i ryw bwll dŵr, yna'n diflannu o'r golwg cyn dod yn ôl i fyny i'r wyneb a thalp o lo yn ei law.

Bu cryn chwerthin yn yr Hen Adra wrth i John adrodd yr hanes yma am Now.

'Wel,' meddai Edward Williams, 'pwll glo ydi'r unig bwll i mi wbod amdano lle ma rhywun yn mynd i mewn iddo fo'n lân ond yn dŵad allan ohono fo'n fudur.'

Cofiodd John y geiriau hyn y diwrnod cyntaf iddo weld ei dad yn dod adref o'r pwll glo ar ddiwedd ei shifft. Roedd Edward Williams mor ddu, prin yr oedd John yn ei adnabod. Dim ond pan glywodd o lais Edward yn dweud, 'Sut hwyl, 'rhen ddyn?' y sylweddolodd mai ei dad oedd yn sefyll yno o'i flaen.

Doedd Magwen druan ddim wedi ei adnabod o gwbwl. Roedd hi'n eistedd wrth y bwrdd yn tynnu llun ar ddarn o bapur pan gerddodd Edward i mewn i'r tŷ. Edrychodd Magwen i fyny i weld yr wyneb du mawr yma, a dau gylch gwyn o gwmpas ei lygaid, yn edrych i lawr arni. Bloeddiodd yr hogan fach dros y tŷ cyn neidio i'w thraed a charlamu i fyny'r grisiau dan sgrechian nerth ei phen.

'Argol fawr, hogan, basa rhywun yn meddwl dy fod yn cal dy fwrdro!' meddai Cêti. 'Mond dy dad ydi o, siŵr.'

Ond erbyn hynny roedd Magwen yn ymguddio o dan wely mawr ei rhieni, a gwrthododd ddod allan yn ei hôl nes bod Edward Williams wedi golchi'r rhan fwyaf o'r glo oddi ar ei wyneb.

Ar ôl iddo ymolchi (a mynd i lawr ar ei fol er mwyn dangos ei wyneb glân i Magwen, a oedd yn dal i ymguddio o dan y gwely) a chael tamaid i'w de, meddai Edward Williams wrth John: 'Ty'd . . . mi awn ni am dro.'

'Lle?' oedd cwestiwn digon naturiol John.

'O gwmpas y pentra 'ma, i ti gal dechra dŵad i nabod rhywfaint ar dy gartra newydd. Fyddan ni ddim yn hir, Cêt . . .'

Sws i Cêti ar ei boch ac un i Magwen ar ei chorun, ac allan â nhw. Y peth cyntaf wnaeth John ar ôl iddyn nhw fynd o'r tŷ oedd gofyn, 'Nhad? Be ydi "byti"?'

'Be . . .? O – *byti*. Wel – ffrind, erbyn hyn,' atebodd Edward. 'Ond yn wreiddiol, roedd o'n golygu rhywun oedd yn gweithio efo chdi yn yr un rhan o'r pwll glo.'

'O . . .'

Meddwl roedd John am y chwe phen a ymddangosodd ar

ben y wal gefn o'r tŷ drws nesaf, ac fel roedd y pen cyntaf wedi dweud rhywbeth am 'fyti'.

'Does gynno fo ddim byd i'w neud efo brechdan, felly?'

'Brechdan?' Yna deallodd Edward, a chwerthin yn uchel. 'A, wela i. Wel, dw't ti ddim mor bell ohoni â hynny, fel ma'n digwydd. O'r gair Susnag *butty* am frechdan y daeth y gair, ti'n gweld, am fod y glowyr yn bwyta'u brechdana bob amsar cinio efo'i gilydd – yn bwyta'u *butties* efo'u bytis, os leici di. Ond cofia – does dim rhaid i chdi fod yn ffrindia mawr efo pwy bynnag sy'n dy alw di'n "byti", chwaith. Ffordd o gyfarch rhywun ydi o erbyn heddiw. Fel rydan ni'n deud, "Sut ma'i, gyfaill?", ma nhw'n deud . . .'

'Shwma'i, byti . . .' gorffennodd John, gan gofio geiriau perchennog y pen cyntaf. Teimlai'n rêl ffŵl nawr – 'yn rêl chwech', fel y byddai Cêti'n ei ddweud weithiau. Dim ond ceisio bod yn glên oedd y bachgen drws nesaf. Mae'n rhaid ei fod o'n meddwl fod yna rywbath mawr yn bod arna i, meddyliodd John.

Gan ei bod hi'n noswaith braf a chynnes o haf, roedd y rhan fwyaf o bobol Senghennydd allan ar y stryd yn mwynhau'r haul cyn iddo fachlud o'r golwg y tu ôl i'r bryniau yn y gorllewin. Clywodd John sawl person yn cyfarch ei dad drwy ddweud 'Shwma'i, byt!' wrth iddyn nhw gerdded i lawr tua'r pwll.

Ond chymerodd John fawr o sylw, a dweud y gwir, oherwydd erbyn hynny y pwll oedd yn llenwi ei feddwl.

Roedd o'n anferth!

Dyma'r tro cyntaf iddo fod mor agos â hyn ato. Roedd o wedi gweld y corn simdde mawr du, wrth gwrs, ond doedd o ddim wedi sylweddoli mor uchel yr oedd o mewn gwirionedd. Rhythodd John ar y cwmwl trwchus o fwg du'n bytheirio ohono, a chan fod yr haul wedi dechrau machlud, edrychai'r mwg fel petai'n cael ei sugno i mewn i dân o fflamau orengoch.

'Argol fawr!' ebychodd John.

Gwenodd Edward Williams. 'Dyna'n union be ddeudis inna'r tro cynta i mi 'i weld o'n iawn,' meddai.

Arhosodd y ddau yno am amser hir yn syllu ar y pwll. Dawnsiai llygaid John o'r corn simdde i'r olwynion mawrion, cryf; dros y cytiau a'r siediau gwahanol – bob un o'r rheiny hefyd a mwg yn llifo allan o'u toeau – a thros y tryciau ar reilffordd fechan, rhai ohonyn nhw'n wag ond eraill a phentwr o lo ynddyn nhw, yn disgwyl am gael eu cludo i ffwrdd i ddyn a ŵyr ble.

'Dros y byd i gyd,' meddai ei dad wrtho wedyn. 'Glo de-ddwyrain Cymru ydi'r gora, ti'n gweld, ac mae 'na alw mawr amdano fo drwy'r hen fyd 'ma.'

Bron nad oedd y glo yn sgleinio yng ngolau oren y machlud. Cliriodd Edward Williams ei wddf.

'Roedd 'na ddamwain ofnadwy yma chydig dros dair blynadd yn ôl,' meddai. 'Mis Mai 1901 oedd hi. Cafodd wyth deg dau o ddynion eu lladd yma.'

'*Faint?*' rhyfeddodd John. 'I gyd yr un pryd?'

Nodiodd Edward. 'Ffrwydrad. Roedd 'na le ofnadwy yma. Ma gen i le i ddiolch nad o'n i yma'r adag hynny.'

Wyth deg dau – mewn un ddamwain. Wrth gwrs, doedd damweiniau yn y chwarel yn yr Hen Adra ddim yn bethau dieithr, ond digwydd i unigolion fyddai'r rheiny gan amlaf. Anodd iawn oedd gallu meddwl am wyth deg dau'n marw yr un pryd.

'Fydda i'n gweithio yma un diwrnod, Nhad?' gofynnodd John ymhen ychydig. 'Efo chi a Mr Morgan?'

Moc Morgan oedd partner Edward yn y lofa. Roedden nhw'n gweithio yn yr un rhan o'r pwll, ond byth bron gyda'i gilydd gan fod Edward yn gweithio un shifft a Moc y llall: un yn ystod y dydd a'r llall ar y shifft nos. Yn wir,

roedd Edward yn gweld mwy ar Moc Morgan yn y capel
nag yn y pwll.

Atebodd Edward mohono'n syth. Petai John wedi digwydd
edrych i fyny mewn pryd, byddai wedi gweld ei dad yn troi'i
ben i ffwrdd oddi wrth y pwll fel petai'n casáu edrych arno.

'Falla . . .' meddai o'r diwedd. 'Gawn ni weld, ia, 'rhen ddyn?
Ty'd – basa'n well i ni ddechra meddwl am ei throi hi am
adra.'

Yr *Huts*

Aethant yn eu holau ar hyd stryd o dai bychain a digon tlodaidd eu golwg, a oedd reit wrth ymyl y pwll.

'Yr *Huts* maen nhw'n galw'r stryd yma,' meddai Edward. 'Dydi'r tai'n fawr gwell na chytiau.'

Sylwodd John fel roedd nifer o'r dynion yn eistedd y tu allan i'w tai a'u hwynebau wedi'u troi tuag at yr haul, a'u llygaid ynghau.

'Fel yna fasat titha hefyd, John, tasat ti wedi bod i lawr yn nhywyllwch y pwll trw'r dydd,' meddai Edward. 'Y gaea ydi'r gwaetha. Ma hi'n dywyll pan fyddi di'n codi a chychwyn am dy waith, rw't ti i lawr mewn tywyllwch llethol yng nghrombil y ddaear trw'r dydd, ac erbyn i chdi orffan dy shifft a dŵad yn ôl i fyny i'r wynab, ma hi wedi tywyllu eto.' Daeth golwg drist dros ei wyneb wrth iddo syllu i gyfeiriad y bryniau yn y pellter. 'Dyna be dwi'n ei golli fwya am y chwaral,' meddai. 'Weithia, mi faswn i'n rhoi cyflog mis am gael un diwrnod o weithio allan yn yr awyr iach. Hyd yn oed os ydi hi'n tresio bwrw glaw . . . hei, paid â syllu, hogyn! Ty'd . . .'

Roedd sylw John wedi cael ei gipio gan un glöwr a eisteddai ar stôl fach bren y tu allan i'w dŷ. Roedd ganddo bwced tun ar ei lin, ac roedd o'n pesychu i mewn iddo fo yn y modd mwyaf ofnadwy. Chlywodd John erioed y fath beswch. Swniai fel petai tu mewn y dyn druan yn cael ei rwygo, fel hen glwt, ac wrth i John wylio, llifodd poer coch tywyll o geg y dyn ac i mewn i'r bwced.

'Be sy'n bod arno fo, Nhad?' gofynnodd John wrth iddyn nhw fynd o'i olwg.

'Llwch glo, 'rhen ddyn. Go drapia'r blwmin peth! Dyn a ŵyr, ma llwch chwaral yn ddigon drwg, ond ma hwn . . .'

Dyna pryd y teimlodd John ergyd finiog ar ei gefn. Roedd rhywun wedi taflu carreg ato. Trodd i weld criw o blant yn syllu ar eu holau.

'Be sy, John?' gofynnodd Edward.

'Dim byd.'

Cefnodd John ar y plant ac ailgychwyn cerdded. Yna teimlodd garreg arall – ac un arall yn syth ar ei hôl, un yn ei daro rhwng ei ysgwyddau a'r llall yng ngwaelod ei goes gan wneud iddo hanner baglu.

'Rargian, be ydi'r matar efo chdi, hogyn? W't ti wedi meddwi, dywad?' chwarddodd Edward – ond diflannodd ei wên wrth i garreg arall fowndian rhyngddyn nhw ar wyneb y stryd.

'Be goblyn?'

Trodd Edward a gweld y plant y tu ôl iddyn nhw. Roedd yna bump ohonyn nhw i gyd, a phan welson nhw fod Edward wedi aros a throi, gwibiodd pedwar ohonynt i ffwrdd, gan wasgaru i wahanol gyfeiriadau fel pysgod mewn afon pan fo cysgod rhywun yn syrthio drostyn nhw.

Ond arhosodd un hogyn yn ei unfan. Roedd o tua'r un oed â John, efallai flwyddyn yn hŷn, a chanddo wallt browngoch a edrychai fel petai wedi rhydu. Wrth edrych arno, ni fedrai John beidio â meddwl am lygoden fawr; roedd wyneb main gwyn gan yr hogyn a dau ddant blaen mawr amlwg yn ei geg wrth iddo wenu'n ddigywilydd ar Edward Williams, fel petai'n ei herio.

'Hei!' meddai Edward.

'Hei!' meddai'r hogyn yn ôl, gan godi'i ên i gyfeiriad Edward a John.

'Pwy sy'n taflu cerrig? Y chdi oedd wrthi, was?' gofynnodd Edward.

Efallai nad oedd y bachgen wedi deall bob gair o gwestiwn Edward, ond roedd o wedi deall digon gan iddo wneud sioe fawr o edrych o'i gwmpas ac i bob cyfeiriad, cyn edrych yn ôl ar Edward a chodi'i ysgwyddau'n ddiniwed. Gwgodd Edward arno am rai eiliadau, a safai'r bachgen yno'n gwgu arno fo'n ôl, yn bowld i gyd.

O'r diwedd, meddai Edward, 'Ty'd, cyn i mi golli arnaf a gneud rhywbath ofnadwy i'r cythral bach digywilydd yna.'

Dim ond newydd gychwyn ailgerdded roedden nhw pan saethodd carreg arall atyn nhw fel bwled gan daro John yn ei ben. Rhoes floedd uchel o boen a trodd i weld ei dad yn llamu at yr hogyn, a safai yno'n ei wylio fo'n dod a hanner gwên sbeitlyd ar ei wep.

Roedd carreg arall ganddo yn ei law, yn barod i'w thaflu, ond chafodd o mo'r cyfle oherwydd roedd Edward Williams wedi cydio ynddo gerfydd ei arddwrn. Tro'r bachgen oedd hi i weiddi mewn poen nawr, a syrthiodd y garreg i'r ddaear.

'Be goblyn w't ti'n meddwl ti'n 'i neud, hogyn!' rhuodd Edward arno.

Yr eiliad nesaf roedd o'n hopian mewn poen ar ei droed chwith, oherwydd roedd y bachgen wedi rhoi cic galed iddo yn ei goes dde, gan wneud i Edward ollwng ei afael ar y bachgen. Manteisiodd hwnnw ar y cyfle i droi a gwibio i mewn i un o'r tai – yn union fel llygoden fawr yn diflannu i mewn i dwll clawdd, meddyliodd John.

Safodd Edward Williams yno'n rhwbio'i goes. 'Wel ar f'enaid i!' meddai wrth John. 'Welist ti erioed y fath beth-?'

Ond roedd gwaeth i ddod.

Trodd y ddau wrth glywed sŵn rhuo, heb fod yn annhebyg i darw mewn poen, yn dod o dŷ'r bachgen. Er bod y drws yn agored, roedd yn rhy dywyll i John fedru gweld i mewn trwyddo.

Yna daeth dynes allan o'r tŷ. Dynes *anferth*. Welodd John erioed ddynes cymaint â hi. Gan ei bod hi mor fawr, a drws y tŷ mor gul, daeth hi allan trwyddo fel un o'r llongau hynny sy'n cael eu cadw mewn poteli, yn dod allan drwy geg y botel. Gallai John daeru fod y ddaear wedi crynu wrth iddi ei heliffantu hi ar draws y stryd at ble roedd Edward ac yntau'n sefyll yn gegagored.

Fel y bachgen powld, roedd ganddi hithau wallt rhydlyd, ond fod hwn ychydig yn fwy oren, yn grychlyd ac yn ymwthio i bob cyfeiriad. Roedd ei breichiau'n wyn ac yn dew fel y lympiau mawr o does hynny roedd Idw Huws y Becar yn arfer eu waldio ar fwrdd pren yn yr Hen Adra. I goroni'r cyfan roedd ganddi getyn yn ei cheg, a thynnodd hwnnw allan nawr cyn poeri ar y llawr a chychwyn blagardio Edward.

'You! You leave me boy alone!' taranodd.

'Be?' meddai Edward. 'Yr argol fawr, y *fo* oedd yn taflu . . .'

'You 'eard me, you *******!' Ac allan o geg y ddynes ofnadwy byrlymodd pob rheg a phob gair budur a glywodd John erioed, yn ogystal â nifer o rai eraill oedd yn newydd sbon iddo. Chlywodd o na'i dad erioed mo'r fath iaith yn dod o geg neb. Roedd amryw o'r chwarelwyr yn yr Hen Adra yn gallu rhegi – bobol bach, oedden! Yn wir, doedd llawer ohonyn nhw ddim yn gallu siarad *heb* regi fel cathod – ond doedden nhw ddim yn yr un cae â'r ddynes hon.

Gorffennodd drwy ddweud, ' . . . and I'll get me 'usband and 'is mates to sort you out!'

Husband? meddyliodd John. Nefoedd yr adar, oedd 'na ddyn ar y ddaear yma'n ddigon gwirion i *briodi* hon?!

Oedd wir, ac roedd hwnnw wedi bod yno gyda nhw drwy'r amser, yn sefyll yn y cysgod y tu ôl i'w wraig. Daeth i'r golwg fesul tipyn fel petai'n synhwyro'r aer. Os oedd y bachgen yn edrych yn debyg i lygoden fawr, yna roedd ei dad yr un ffunud ag un. Yn union fel llygoden fawr yn mentro allan o'r tu ôl i das wair, meddyliodd John.

Doedd o ddim cyn daled ag Edward Williams, ond roedd ganddo wyneb hynod o filain. Fel ei fab, roedd ganddo yntau

ddau dant blaen mawr, ac roedd y rhain yn felyn, bron.

'You heard the missus, pal,' meddai gan bwnio Edward yn ei fron â bys esgyrnog. 'Nobody messes with my lad, all right? Nobody.' Pwniad arall efo'r bys. 'I haven't finished with you yet, Northman,' meddai. 'Not by a long chalk.'

Trodd y ddau a dychwelyd i'w tŷ gan adael Edward Williams yn gegrwth. Roedd John yn hanner disgwyl gweld fod cynffon hir fel chwip gan y dyn wrth iddo fynd i mewn i'r tŷ gyntaf ac i'w wraig wasgu i mewn ar ei ôl.

'Argol fawr . . .' meddai Edward Williams, gan edrych fel dyn oedd newydd ddeffro ar ôl breuddwyd cas. 'Argol fawr . . .'

Wrth iddyn nhw gerdded adref, sylweddolodd John rywbeth nad oedd wedi ei daro ynghynt. Er bod llawer o bobol eraill allan ar y stryd, doedd neb wedi cymryd unrhyw sylw o'r ddrama fawr oedd yn digwydd o dan eu trwynau. Doedd neb wedi edrych i'w cyfeiriad, heb sôn am gynnig eu helpu.

Go brin y byddai rhywbeth fel hyn wedi cael digwydd yn yr Hen Adra, meddyliodd John. Tasa 'na hogyn wedi taflu cerrig fel roedd y llygoden fawr-fach 'na wedi'i wneud, basa sawl un wedi gweiddi arno i roi'r gorau iddi; tasa fo wedi dal i wneud, yna basa rhywun wedi rhoi clustan neu ddwy iddo.

Ac am herio a chicio dyn yn ei oed a'i amser fel Edward Williams – byddai wedi cael ei fartsio adref a chael chwip din iawn gan ei rieni. Mwy na thebyg, hefyd, byddai ei rieni wedyn wedi galw draw i ymddiheuro i Edward. Yn sicr, fydden nhw ddim wedi'i flagardio i'r cymylau a'i alw'n bob enw sglyfaethus dan haul, na chwaith wedi'i fygwth o fel roedd y llygoden fawr-fawr wedi'i wneud.

'Diolch i'r nefoedd nad ydan ni'n gorfod byw drws nesa i ryw siafflach fel y rheina,' meddai Edward wrth iddyn nhw droi i mewn i'w stryd nhw. 'Y peth calla i'w wneud o hyn allan, 'rhen ddyn, ydi cadw'n ddigon pell oddi wrthyn nhw.'

Ond roedd teimlad ofnadwy gan John nad oedd pethau am fod mor hawdd â hynny.

Y Dandos

Wrth iddyn nhw nesáu at eu tŷ nhw, gwelsant fod y drws yn agored led y pen. Ond nid dyna beth wnaeth i'r ddau aros yn stond ac edrych ar ei gilydd mewn syndod – wedi'r cwbwl, roedd drysau'r rhan fwyaf o'r tai eraill yn agored, hefyd, ar noson mor braf.

Beth, felly?

Y sŵn annisgwyl oedd yn dod o'r tu mewn i'r tŷ, dyna beth. Sŵn nad oedd John na'i dad wedi'i glywed ers tro. Ers misoedd. Ers cyn i Edward Williams gyhoeddi ei fod o am ddod i lawr yma i'r De i chwilio am waith. Sŵn Cêti'n chwerthin.

'*Mam* ydi honna?' gofynnodd John.

Gwenodd Edward Williams fel giât. 'Ia, hogyn – dy fam!'

Brysiodd y ddau am y tŷ oedd yn llawn pobol. Wel, deuddeg gan gynnwys John a'i dad. Roedd y parlwr bychan dan ei sang, ac yn teyrnasu drosto, a'i ben-ôl at y lle tân, roedd dyn bychan a'i ben yn foel fel wy. Roedd o ar ganol dweud stori.

Dros hanner can mlynedd yn ddiweddarach, ni fedrai John

– hyd yn oed petaech chi wedi cynnig ffortiwn iddo – gofio'r
stori roedd Jo Dando'n ei hadrodd. Ond byddai'r darlun o'i
fam yn chwerthin yn iach am y tro cyntaf ers tro byd yn aros
yn ei gof am byth. Roedd Jo Dando'n un o'r rheiny â'r ddawn i
wneud i chi rolio chwerthin dros y peth lleiaf.

Cês naturiol, dyna be oedd o. Er nad oedd o'n dal, roedd
ganddo gorff cyhyrog a chryf yr olwg, fel gwifren ddur. A'i
eiriau cyntaf, wrth gwrs, oedd, 'Shwma'i, byt?'

Wrth i Jo ysgwyd llaw efo Edward Williams, edrychodd
John o gwmpas yr ystafell a sylwi fod y chwe phen a
ymddangosodd ar ben y wal gefn nawr wedi magu chwe
chorff. Meddyliodd John i ddechrau fod yna saith i gyd, cyn
sylweddoli mai Magwen ei chwaer oedd un ohonyn nhw, yn
eistedd yng nghanol y chwech arall fel petai hi'n ffrindiau
mawr efo nhw erioed. Roedden nhw i gyd yn eistedd mewn
un bwndel mawr o blant mewn cornel o'r ystafell.

'A 'co hi'r musus – Ceridwen,' meddai Jo Dando. Trodd
John i weld dynes yn eistedd wrth y bwrdd. A rhythodd arni.

Roedd John Williams wastad wedi credu mai ei fam
oedd y ddynes harddaf a welodd y byd yma erioed. Ond
roedd Ceridwen Dando cyn hardded â hi, ond mewn ffordd
wahanol. Gwallt melyn fel ŷd oedd gan Cêti, ond roedd gwallt

Mrs Dando cyn ddued â phlu cigfran y mynydd, yn byrlymu
dros ei hysgwyddau fel rhaeadr o gyrls tywyll. Roedd hi'n
gwenu'n llydan ar John efo llond ceg o ddannedd gwynion.

'A 'ma nhw'r plant,' meddai Jo Dando, gan bwyntio at bob
un yn ei dro neu ei thro. 'Jên, Blodwen, Siôn, Jemeima,
Jo Bach . . . a Bili.'

Bili oedd yr hynaf, a'r un oed â John, perchennog y pen
cyntaf i sbecian dros y wal. Ac wrth iddo wenu ar John a
dweud 'Shwma'i, byt?' fel ei dad, ychydig a wyddai John ei
fod o newydd gwrdd â'r bachgen oedd am gymryd lle Now Be
Nesa fel ei ffrind gorau.

Yr Ysgol

Diolch am Bili Dando, meddyliodd John ar ei fore cyntaf yn ei ysgol newydd. Diolch amdanyn nhw i gyd, petai'n dod i hynny – heblaw wrth gwrs am Jo Bach, oedd yn rhy ifanc i fynd i'r ysgol. Oni bai am y Dandos, ni fyddai unrhyw glem gan John a Magwen ynglŷn â lle roedden nhw i fod i fynd na beth roedden nhw i fod i'w wneud ar ôl cyrraedd.

Doedd John na Magwen ddim wedi edrych ymlaen ryw lawer at heddiw; mae gorfod cychwyn mewn ysgol newydd pan ydych yn ddieithr eich hun yn beth anodd a thrwblus dros ben. Ond galwodd y Dandos amdanyn nhw'r peth cyntaf yn y bore ac addawodd Jên, Blodwen a Jemeima edrych ar ôl Magwen, tra oedd Bili a Siôn am edrych ar ôl John.

'Diolch byth,' meddai Cêti, wrth wylio'r plant yn mynd mewn un criw swnllyd i lawr yr allt. Doedd hithau ddim wedi edrych ymlaen at heddiw, chwaith. Ond gyda lwc, meddyliodd, byddai popeth yn iawn.

Roedd yr ysgol hon yn fwy o lawer na'r ysgol yn yr Hen Adra

– ac roedd llawer iawn iawn mwy o Saesneg i'w chlywed ar y buarth.

Roedd John wedi ofni y byddai pawb yn syllu arno fo a Magwen, fel petaen nhw'n ddau aderyn egsotig oedd wedi glanio ar fuarth fferm. Ond dim ffasiwn beth. Os rhywbeth doedd bron neb yn cymryd yr un tamaid o sylw ohonyn nhw. Yna sylweddolodd John fod llawer o fynd a dod wedi digwydd yn yr ardal, yn enwedig gyda phobol o bob rhan o Brydain yn heidio yno'n chwilio am waith. Doedd dau wyneb newydd ar fuarth yr ysgol, felly, ddim yn beth anghyffredin o gwbwl.

Ymhen ychydig dechreuodd John gael yr hen deimlad annifyr hwnnw *fod* yna rywun yn syllu arno. Trodd – a gweld fod yna un bachgen yn syllu'n gas arno – bachgen a edrychai fel llygoden fawr.

'Stanley Maldoon,' meddai Bili, pan ofynnodd John pwy oedd yr hogyn. Yna sylwodd Bili fod Stanley'n gwgu ar John. 'Beth yffach ti 'di neud iddo fe, John?'

Adroddodd John yr hanes am y taflu cerrig, ac fel roedd clamp o ddynes a llygoden fawr o ddyn wedi dod allan o'r tŷ gan fygwth ei dad. Erbyn iddo orffen dweud y stori, roedd llygaid Bili Dando'n fawr ac yn grwn.

'Yffach – Big Annie!' meddai. 'Dyna pwy yw mam Stanley

Maldoon. Ma 'na straeon ofnadw ambyti hi – ma nhw'n gweud 'i bod hi wedi sorto mas tri choliar yr un pryd, wedi rhoi dou miwn *head lock* a cnocan 'u penne nhw'n erbyn 'i gilydd, tra'n bwrw'r llall 'da'i thalcen nes 'i fod e'n *out cold*.'

'Nefi!' Wrth gwrs, ar ôl gweld y ddynes drosto'i hun, gallai John gredu hyn yn ddigon hawdd.

'O – ma ar bron bawb ofan Big Annie a gweddill y Maldoons,' meddai Bili. Yna dywedodd rywbeth rhyfedd: 'Wel – pawb ond Mam, ontefe.'

Edrychodd John arno. '*Dy fam?*' meddai.

Ond cyn iddo gael cyfle i holi dim mwy, daeth un o'r athrawon allan a chanu cloch, gan ei hysgwyd nes bod ei wyneb o'n goch fel bitrwtsen, a rhaid oedd i bawb fynd i mewn i'r adeilad.

Beth goblyn oedd Bili'n ei feddwl, tybed?

Erbyn diwedd eu hail wythnos yno, roedd John a Magwen wedi setlo'n o lew yn eu hysgol newydd. Mr Jenkins oedd enw athro John, dyn tal a main efo locsyn bwch gafr a bysedd gwynion, hir – y bysedd hiraf a welodd John erioed.

'Ie, wy'n gwbod,' meddai Bili Dando pan soniodd John wrtho am fysedd Mr Jenkins. 'Fe yw'r unig fachan yn y byd sy'n gallu crafu'i benglin a phigo'i drwyn â'r un llaw ac ar yr un pryd.'

Roedd John yn falch iawn o weld fod y gwersi'n debyg iawn i'r rhai yn ei hen ysgol, ond fod Mr Jenkins yn tueddu i neidio'n ôl ac ymlaen rhwng siarad Saesneg a siarad Cymraeg. A phan oedd o'n siarad Cymraeg, roedd ei acen yn neidio dros y lle: un funud roedd o'n siarad yn union fel Bili, a'r funud nesaf byddai'n swnio fel rêl Cofi o Gaernarfon.

'Dyn aflonydd ar y naw oedd fy nhad, welwch chi, John,' meddai un diwrnod. 'Doedd o ddim yn hapus os nad oedd o'n crwydro i rywle neu'i gilydd. Fel sipsi . . . ontefe, Bili Dando?' meddai, gan newid ei acen eto a tharo winc ar Bili.

'Ie, syr,' atebodd Bili.

Edrychodd John o'r naill i'r llall. Ydw i'n colli rhywbeth yma? gofynnodd iddo'i hun.

Ond er mor hapus y teimlai John yn ei ysgol newydd, roedd ganddo un ddraenen boenus yn ei ystlys. Ac enw'r ddraenen honno oedd Stanley Maldoon.

Wyddoch chi'r teimlad rydach chi'n ei gael pan fyddwch chi'n hel annwyd? Dim byd mawr iawn i ddechrau, dim ond ryw hen deimlad annifyr nad ydi popeth yn iawn. Efallai yr ewch

chi ati i gymryd ffisig neu dabled, ond rydych yn gwybod yn
ddistaw bach fod yn rhaid i'r annwyd gael datblygu'n llawn
cyn ei fod yn barod i fynd. Bod raid i'r annwyd redeg ei gwrs,
doed a ddelo.

Felly roedd hi yn achos John Williams a Stanley Maldoon.
Roedd rhywbeth yn mynd i ddigwydd rhyngddyn nhw'n hwyr
neu'n hwyrach.

Doedd dim o'i ofn o ar John. Yn ôl yn yr Hen Adra, roedd
dipyn o enw ganddo fel cwffiwr, a doedd o ddim yn un am
gymryd unrhyw lol gan neb. Gwyddai y gallai roi pymtheg
tro i un o Stanley Maldoons y byd yma unrhyw ddydd. Y
drafferth oedd, doedd Stanley byth ar ei ben ei hun. Roedd
ganddo ffrindiau. Criw ohonyn nhw – criw a edrychai i John
fel petai'n tyfu'n fwy ac yn fwy bob diwrnod.

Ac fel yr hen annwyd hwnnw pan fydd o'n dechrau hel,
deuai Stanley Maldoon a'i griw yn nes ac yn nes bob dydd.

Heb i John wybod, roedd rhywbeth tebyg iawn yn digwydd yn
y pwll rhwng ei dad ac Ezra Maldoon, tad Stanley. Bob tro y
gwelai Edward hwnnw, dyna lle roedd o'n gwgu i'w gyfeiriad
ac yn sibrwd yn slei gyda chriw o ddynion eraill, digon milain
eu golwg.

'Ezra Maldoon,' nodiodd Jo Dando pan soniodd Edward wrtho am y llygoden fawr.

Ezra! meddyliodd Edward. Duw a'n helpo!

'So fe'n hoffi chi'r Northmyn, ti'n gwbod,' meddai Jo.

'Na, dyna'r teimlad ges inna hefyd. Ond pam, neno'r tad?' gofynnodd Edward. 'Be ydan ni wedi'i neud iddo fo?'

'Sdim isie rheswm ar fois fel Ezra Maldoon,' atebodd Jo. 'Bachan o Lerpwl yw e, ac ro'dd rhywun yn gweud 'i fod e 'di bod yn y jâl lan yn y North. Cwpwl o withie, wy'n credu – fe a'r musus 'na sy 'da fe, Big Annie. Rhuthun, ife? A

Chaernarfon. Cal eu dala'n potshio, medden nhw. Ond paid becso, byt,' meddai Jo gan roi pwniad bach i ysgwydd Edward. 'Mae e'n ormod o fabi i neud unrhyw beth 'i hunan, ti'n gwbod. Ma'n rhaid iddo fe gal criw o fois erill 'da fe. Gwylia fe, Edward. Un slei a milain yw Ezra Maldoon. Synnwn i ddim os taw fe wedodd wrth y crwt 'na am dwlu cerrig ar d'ôl di a John. Un fel'na yw e.'

Nodiodd Edward Williams, a gwneud ei orau glas i gadw'n ddigon pell oddi wrth Ezra Maldoon a'i ffrindiau. Ond gwyddai mai dim ond mater o amser oedd hi cyn i rywbeth cas ddigwydd. Roedd yr holl sefyllfa fel sosban llawn dŵr ar dân; yn hwyr neu'n hwyrach roedd y cyfan yn sicr o ferwi drosodd.

Cwffio

A dyma ddigwyddodd rai dyddiau'n ddiweddarach. Yn aros am John y tu allan i giatiau'r ysgol oedd Stanley Maldoon a thri o'i ffrindiau. Pedwar yn erbyn un.

Arhosodd John yn stond. Gallai fod wedi troi a rhedeg i'r cyfeiriad arall, ond fuodd o erioed yn un am redeg i ffwrdd oddi wrth neb. Be fyddai'r diben, beth bynnag? Dim ond gohirio'r peth fyddai hynny, a byddai Maldoon a'i ffrindiau'n siŵr o aros amdano ryw ddiwrnod arall.

Felly cerddodd tuag atyn nhw, yn wên o glust i glust.

Edrychodd y bechgyn eraill ar ei gilydd. Doedden nhw ddim wedi disgwyl hyn. Roedden nhw i gyd wedi disgwyl gweld John yn troi ar ei sawdl ac yn rhedeg i ffwrdd, nerth ei draed.

'Un funud . . .' meddai John, gan roi ei fag ysgol i orffwys yn erbyn y clawdd, tynnu ei gôt, ei phlygu'n daclus a'i gosod wrth ei fag.

Yna trodd yn sydyn, heb rybudd, a rhoi andros o swadan i Stanley Maldoon, ar ei drwyn. Syrthiodd hwnnw'n ei ôl, ar ei hyd, a'i drwyn wedi blodeuo fel pabi coch.

Rhythodd ei ffrindiau arno mewn braw. Doedden nhw erioed wedi gweld y fath beth o'r blaen – yn wir, doedden nhw ddim wedi gweld neb yn ateb Stanley Maldoon yn ôl, heb sôn am ei daro. Roedd Stanley ei hun wedi cael andros o sioc hefyd; eisteddai yno ar y ddaear a'i drwyn yn pistyllo gwaedu a'i wyneb yn wyn.

Ond un peth am Stanley Maldoon: efallai'n wir mai bwli oedd o, ond doedd o ddim yn fabi. Cododd i'w draed, sychu rywfaint ar ei drwyn, a rhuthro am John. Llwyddodd hyn i ysgwyd y tri arall o'u braw. Cydiodd dau ohonyn nhw ym mreichiau John wrth i'r llall lapio'i freichiau am ei goesau, gan adael Stanley Maldoon yn rhydd i ddyrnu John yn ei wyneb a'i fol.

Yna clywsant lais yn dweud, 'Pedwar yn erbyn un? So hyn yn deg iawn, yw e?' a throdd un o'r ffrindiau i weld dwrn Bili Dando'n gwibio am ei wyneb. Gollyngodd hwn ei afael ar fraich John gan faglu'n ei ôl a'i wefus isaf yn gwaedu. Baglodd dros y bachgen oedd yn dal coesau John a syrthiodd y ddau ohonyn nhw'n bendramwnwgl i'r ddaear.

Iawn, meddyliodd John, dyna welliant. Rŵan amdani! Rhoes ddwrn arall i Stanley Maldoon nes bod ei ddannedd yn clecian fel castanets, yna un yn ei fol; ac un arall wedyn ar ochr ei ben. Syrthiodd Stanley i'r ddaear am yr eildro, a doedd dim siâp codi arno fo'r tro hwn. Yn y cyfamser, roedd Bili wedi dal pen un o'r ffrindiau dan ei gesail ac roedd wrthi'n cicio pen-ôl un arall fel petai'n cicio pêl rygbi. Roedd y trydydd ffrind wedi hen redeg i ffwrdd.

Safodd John uwchben Stanley Maldoon. 'W't ti wedi cael digon?' gofynnodd.

Llwyddodd Stanley i godi ar ei eistedd. Edrychodd i fyny ar John a golwg go hurt ar ei wyneb. Yna nodiodd.

'Odw,' meddai. 'Digon.'

Cododd i'w draed a cherdded i ffwrdd gyda'r ddau arall. Sylweddolodd John fod yna weiddi mawr o'i gwmpas, a throdd o a Bili i weld criw anferth o blant, i gyd yn curo'u dwylo ac yn gweiddi 'Hwrê!'

Gwenodd y ddau ar ei gilydd.

'Oreit, byt?' gofynnodd Bili.

'Odw, iawn byt!' atebodd John.

'Ond mi wnaethon ni ennill!' protestiodd John.

'Dim ots!' dwrdiodd Cêti. Roedd hi'n plygu drosto, yn glanhau'r briwiau bychain ar ei wyneb â chadach gwlyb, ac yn golchi'r gwaed oedd wedi cremstio o gwmpas ei drwyn a'i geg. 'Doedd dim isio i chi gwffio yn y lle cynta, yn nag oedd? Ymddwyn fel canibaliaid ar y stryd . . .'

Roedd John ar fin dweud mai *bwyta* pobol eraill wnâi canibaliaid, ac nad oedd ganddo fo unrhyw awydd bwyta rhyw lygoden fawr fel Stanley Maldoon, pan gyrhaeddodd Edward Williams adref, wedi gorffen ei shifft am y dydd.

'Ma dy fab wedi bod yn cwffio,' meddai Cêti wrtho, heb droi.

'A . . . ia, wel . . . nid y fo ydi'r unig un, fel mae'n digwydd,' meddai Edward.

'Be . . .?'

Trodd Cêti ato, a rhoi sgrech fechan. Roedd wyneb Edward hefyd yn gleisiau ac yn friwiau i gyd, ei drwyn yn goch ac un llygad wedi dechrau chwyddo yn barod.

Deallodd John mai un arall o deulu Big Annie Maldoon fu'n ymladd efo'i dad – Ezra, tad Stanley. Roedd o a chriw o ddynion eraill wedi ymosod ar Edward wrth iddo adael y lofa.

'Ond diolch byth, mi ddath Jo drws nesa o rywla, a rhyngddon ni mi roddon ni how-di-dŵ iawn iddyn nhw i gyd,' eglurodd Edward.

'Ac mi gefais inna help gan Bili!' meddai John.

'Wel, ar f'enaid i!' rhyfeddodd Edward. 'Diolch byth am y Dandos, dyna be dwi'n ei ddeud. Neu fel arall, basa petha'n o ddrwg arnon ni – yn basan nhw, 'rhen ddyn?'

Y Ddynes Gwallt Du

Drannoeth, sylwodd nifer o drigolion yr Huts ar ddynes fach anghyffredin o hardd, gwallt du'n byrlymu i lawr ei chefn fel rheaedr o gyrls tywyll, yn cerdded heibio i'w tai a golwg benderfynol iawn ar ei hwyneb.

Doedd hi ddim ar goll, yn wir roedd hi'n gwybod yn union lle roedd hi'n mynd – tŷ'r Maldoons. Heb betruso o gwbwl cododd ei dwrn a churo'r drws yn uchel.

Bobol bach! meddyliodd trigolion yr Huts. Ydi'r ddynes yma'n gall? Oes ganddi hi unrhyw syniad pwy sy'n byw yn y tŷ yna, beth sy'n llechu'r ochr arall i'r drws? Dylai rhywun gael gair yn ei chlust, ei rhybuddio hi, y greadures fach iddi.

Ond wnaeth neb mo hynny, hyd yn oed pan gododd y ddynes ei dwrn eilwaith a churo eto wrth y drws – yn uwch o lawer y tro hwn. Daeth sŵn uchel ac aflafar, tebyg iawn i floedd, o'r tu mewn i'r tŷ . . . ac yna agorodd Big Annie Maldoon y drws, yn amlwg mewn coblyn o dymer ac yn barod am ffrae.

Ond pan welodd hi pwy oedd yn sefyll yno, trodd wyneb Big

Annie'n wyn fel y galchen. Pwysodd yn erbyn ochr y drws fel petai hi ar fin llewygu. Yna camodd yn ei hôl gan agor y drws yn llydan er mwyn i'r ddynes hardd allu cerdded i mewn i'r tŷ. Taerai nifer o drigolion yr Huts iddyn nhw weld Big Annie yn dod yn agos iawn at foesymgrymu i'r ddynes wrth iddi hi gamu dros y rhiniog.

Caeodd Big Annie'r drws. Daliodd pobol yr Huts eu gwynt . . .

Ymhen llai na phum munud, agorodd y drws eto a daeth y ddynes hardd â'r gwallt du, cyrliog allan. Cerddodd i ffwrdd efo gwên fechan ar ei hwyneb, heb edrych yn ei hôl unwaith.

Welodd neb mo Big Annie am dros wythnos ar ôl hynny, a phan ddechreuodd ddangos ei hwyneb o gwmpas y lle unwaith eto, roedd hi'n dawel iawn – ac yn ofnus, yn edrych dros ei hysgwydd drwy'r amser fel petai hi'n ofni fod yna rywun neu rywbeth yn ei gwylio a'i dilyn. Brysiai yn ei hôl am y tŷ fel petai'n methu aros am gael mynd i mewn, gan gau'r drws yn dynn – a'i gloi – ar ei hôl.

Y diwrnod wedyn, digwyddodd dau beth od arall – un yn y pwll, a'r llall yn yr ysgol.

Dros swper y noson honno, meddai Edward Williams, 'Mi ddigwyddodd rhywbath rhyfadd ar y naw i mi heddiw, yn y gwaith.'

'O?' meddai Cêti, yn oeraidd, gan nad oedd hi wedi maddau i'w gŵr nac i'w mab am gwffio fel dau ryffian. 'Be, felly, Edward? Paid â deud fod yna ddiwrnod cyfan wedi mynd heibio heb i chdi gwffio neu dynnu rhywun i dy ben?'

'Cêt, Cêt . . .' ochneidiodd Edward. 'Ond dw't ti ddim yn bell ohoni, chwaith, fel ma'n digwydd. Mi ddath yr hen fôi Maldoon hwnnw ata i – ac ymddiheuro!'

'*Be?*' meddai Cêti, Magwen a John efo'i gilydd.

'Do, wir i chi,' meddai Edward. 'Ysgwyd llaw mawr a deud bod yn ddrwg calon gynno fo am bob dim, ac os bydd angan unrhyw ffafr arna i yn y dyfodol, yna does ond isio i mi ofyn iddo.'

'Nefi wen!' meddai Cêti. 'Be ddath drosto fo, sgwn i?'

Erbyn hyn, roedd John yn ysu am gael dweud ei bwt yntau.

'Mi ddigwyddodd yr un peth i mi!' meddai.

Edrychodd ei dad a'i fam arno.

'Be – dath Ezra Maldoon i'r ysgol, yn un swydd i ymddiheuro i chdi?' gofynnodd Edward Williams yn hurt.

Ysgydwodd John ei ben yn ddiamynedd. 'Nid y *fo*, siŵr. Ond Stanley – 'i fab o. Yn do, Magi? Ar fy marw,' taerodd John. 'A deud fwy ne' lai'r un peth wrtha i ag a ddeudodd ei dad o wrthach chi. Bod yn ddrwg iawn ganddo fo am bob dim – ac os bydd unrhyw un arall yn pigo arna i ne' ar Magwen yn yr ysgol, yna does ond isio i mi ddeud wrtho fo, a bydd o'n eu rhoi nhw ar ben ffordd.'

'Wel, ar f'enaid i!' meddai Edward.

'Be ar y ddaear wnaethoch chi iddyn nhw?' meddai Cêti.

'Wel . . . ma'n dangos, yn dydi'r hen ddyn?' meddai Edward Williams gan bwnio John yn ysgafn ar ei ysgwydd. 'Ma'n cymryd dipyn mwy na Maldoons y byd yma i ddeud wrth hogia Arfon be ydi be.'

Roedd pawb yn o ddistaw dros y bwrdd bwyta drws nesa yn nhŷ'r Dandos. Ond roedd Ceridwen wedi hen sylwi fel roedd ei gŵr a'i mab hynaf yn edrych ar ei gilydd bob hyn a hyn. Roedd yn amlwg fod rhywbeth yn y gwynt.

'O'r gore,' meddai Ceridwen o'r diwedd. 'Be sy'n bod?'

Edrychodd Jo Dando ar ei blant.

Edrychodd y plant ar Jo.

Yna trodd Jo at Ceridwen a hanner gwên ar ei wyneb. 'Ti 'di bod mas am wâc yn ddiweddar, Ceri?' gofynnodd iddi.

'Ha!' ebychodd Ceridwen. 'Pryd fydden i'n cal cyfle i neud shwt beth, Joseff Dando?'

'O, so fe'n cymryd fowr o amser i gerdded lawr i'r Huts ac yn ôl,' meddai Jo.

'A pham ar wyneb y ddaear fydden i'n moyn mynd ar gyfyl yr Huts?' gofynnodd Cerdiwen.

Edrychai ar ei phlât, ond er nad oedd hi'n gwenu, gallai Bili daeru fod llygaid duon ei fam yn dawnsio'n ddireidus.

'Wel . . .' meddai Jo, yn amlwg yn cael trafferth mawr ei hun i beidio â gwenu. 'Dyma i ti be ddigwyddodd iddo fe Edward drws nesa, heddi yn y gwaith.'

Adroddodd yr hanes am Ezra Maldoon yn mynd at Edward ac yn ymddiheuro.

'Jiawch eriod!' meddai Ceridwen, ond roedd hithau hefyd yn cael trafferth i gadw wyneb syth.

'Ac fe ddath Stanley Maldoon lan at John drws nesa, a gweud fod yn flin 'da fe,' meddai Bili.

'Dofe wir?' meddai Ceridwen.

'Rhyfedd, ontefe?' meddai Jo. 'Ond y peth yw, ro'n i'n cerdded shathre peth o'r ffordd 'da fe Dai Hopkin heddi. Ma Dai, wrth gwrs, yn byw lawr yn yr Huts, fel ti'n gwbod, Ceri.'

'Odi e?' Agorodd Ceridwen ei llygaid yn llydan. 'Joseff, sdim syniad 'da fi *pwy* sy'n byw yn yr Huts.'

Caeodd Jo ei lygaid; roedd o ar fin bloeddio chwerthin. 'A medde Dai Hopkin, rodd 'i wraig e wedi gweld rhywun yn galw yn nhŷ Annie Maldoon. Menyw bert iawn, medde Dai –'da llond pen o wallt cyrliog, du.'

'O ie?' meddai Ceridwen, yn ddiniwed i gyd.

'Ie,' meddai Jo. 'Felly dyma fi'n gofyn i fi fy hunan, tybed os ath fy Ngheri fach i draw i gal gair bach 'da hi Big Annie? Fel un sipsi 'da'r llall, ontefe.'

'Dyw Annie Maldoon ddim yn Romani, Joseff,' meddai

Ceridwen yn bigog, gan syllu ar ei gŵr. 'Tincer odd 'i thad hi, 'da'r un tropyn o wa'd Romani ynddo fe.'

'Falle'n wir,' meddai Jo. 'Ond beth am fam Big Annie? A wy'n siŵr fod Annie ei hunan yn ddigon o sipsi i fod ag ofan pan fo Romani go iawn yn galw i gal gair 'da hi. Falle'n bygwth rhoi melltith arni os nad yw hi'n bihafio . . . odw i'n iawn, Ceri?'

Cododd Ceridwen a chasglu'r platiau budron ynghyd. 'Joseff Dando, sai'n gwbod *o ble* ti'n cal y syniade twp 'ma!' meddai, gan fynd â'r llestri i'r gegin fach.

Yna dechreuodd Jo Dando floeddio chwerthin dros y tŷ.

'Tada, be sy'n bod?' gofynnodd Jên.

Trodd at Bili, ond roedd ei brawd mawr hefyd yn rholio chwerthin erbyn hyn gan iddo ddigwydd gweld y winc darodd ei fam ar ei dad wrth iddi fynd i'r gegin fach.

Rhan 2

Y CWMWL DU

Edrych Ymlaen

Pan oedd o'n dair ar ddeg oed, ymadawodd John Williams â'r ysgol a chychwyn gweithio yn y pwll glo.

Roedd o wedi edrych ymlaen yn fawr iawn at y diwrnod hwnnw – at gael cerdded i lawr yr allt am y pwll gyda'i dad a'r dynion eraill, yn un ohonyn nhw o'r diwedd, a cherdded yn ôl i fyny gyda nhw ar ddiwedd eu shifft, yn ddu o'i gorun i'w sawdl ac wedi blino'n lân ar ôl diwrnod caled o waith.

Wrth i'r diwrnod mawr nesáu, fodd bynnag, dechreuodd John deimlo fod neb arall o'r teulu'n edrych ymlaen at ei weld o'n cychwyn gweithio.

'Mwy o waith i Mam a finna, dyna be fydd o,' cwynai Magwen yn aml, 'efo chdi a Nhad yn cludo llwch glo o gwmpas y tŷ 'ma i gyd.'

Roedd Magwen yn ddeg oed erbyn hynny, ac mae'n rhaid dweud fod ganddi feddwl go fawr ohoni'i hun. Yn wir, meddyliai John, basa rhywun yn meddwl mai merch y Plas oedd hi! Roedd hi wedi etifeddu gwallt melyn hardd ei mam a threuliai oriau lawer yn ei frwsio a'i frwsio nes ei fod o'n sgleinio.

'Tasat ti'n treulio'r un faint o amsar yn brwsio'r llawr, mi fasa'r tŷ fel pìn mewn papur,' meddai Edward Williams wrthi un diwrnod.

Trodd y fam a'r ferch arno fel dwy lewes. 'Hoi! *Ma'r* tŷ 'ma fel pìn mewn papur, Edward Williams!' meddai Cêti. 'Er gwaetha dy holl ymdrechion di i'w droi o'n dwlc mochyn.'

'Neu'n gwt glo,' ategodd Magwen. 'Ylwch fel ma'r lle tân yna'n sgleinio – dim diolch i chi. Mam a fi sy'n chwysu chwartia bob dydd yn ei lanhau o.'

Roedd hi'n dweud y gwir, hefyd. Nid gwaith hawdd oedd cadw'r lle tân yn lân. Roedd o mewn tair rhan – y tân ei hun yn y canol, y popty ar un ochr a'r boilar yr ochr arall. Rhaid oedd ei sgwrio'n galed â blac-led, neu fel arall byddai'n rhydu. Roedd Cêti'n gwneud ei blac-led ei hun, efo sbirit gwyn ac olew llinad, cyn ei rwbio dros bob modfedd o'r lle tân a'i gaboli wedyn nes ei fod yn sgleinio 'fel swlltyn', chwedl Cêti.

Ond y ffordd roedd Magwen yn siarad weithiau, gallech feddwl fod yna neb ond hi yn gwneud unrhyw waith tŷ o gwbwl. Roedd John hefyd yn gorfod gwneud ei ran, ac un o'i

69

dasgau cyn iddo gychwyn gweithio yn y pwll glo oedd cludo dŵr oer o'r tap yn y sgylyri i'r gegin a'i dywallt i mewn i'r boilar yn y lle tân – oherwydd roedd angen bath ar ei dad yn syth bìn ar ôl iddo gyrraedd adref o'r pwll.

'Pwy sy am neud hynny pan fydda i'n gweithio?' meddai John wrth Magwen un diwrnod.

'Wnei *di* mo'no fo, yn na wnei?' atebodd Magwen. 'Mam a fi fydd wrthi – fel tasa dim digon gynnon ni i'w neud yma'n barod.'

Clywodd Cêti hi'n cwyno un diwrnod, a rhoddodd bryd o dafod iddi. 'Diolcha mai dim ond ni'n pedwar sy'n byw yma, Magwen!' meddai wrthi. 'Sut fasat ti'n hoffi byw yn nhŷ Tomi Preis?'

Un o'r glowyr oedd yn y côr efo Edward oedd Tomi Preis, ac roedd naw o blant ganddo fo ac Elisabeth ei wraig. Bechgyn oedd wyth ohonyn nhw, a thri o'r rheiny eisoes yn gweithio yn y pwll efo'u tad. Yn barod, roedd plentyn hynaf Tomi – merch o'r enw Dora – yn edrych yn fwy fel mam i'r bechgyn na chwaer iddyn nhw – tra oedd Lisabeth, y fam go iawn, yn edrych yn fwy fel nain iddyn nhw. Roedd y syniad o fod yn edrych fel Dora Preis un diwrnod yn ddigon i roi taw ar gwyno Magwen bob tro.

Ydan, rydan ni'n lwcus iawn, meddyliodd John. Roedd Edward a Cêti'n sôn weithiau am gael lojar i mewn i helpu gyda'r rhent, ond doedd Edward ddim yn hoff iawn o'r syniad. Wedi'r cwbwl, lojio gyda theulu arall wnaeth o pan ddaeth o yma gyntaf, a doedd o ddim wedi mwynhau hynny ryw lawer.

'Mi wnawn ni hynny os bydd raid,' meddai Edward, 'ond nid tan hynny. Gobeithio na fydd raid – ac na fydd W. J. Parîîîî yn codi'r rhent.'

Gwyddai John fod y Dandos drws nesa'n gorfod rhannu gwelyau – y tair merch mewn un gwely a'r tri bachgen mewn un arall – gydag un yn cysgu a'i ben neu ei phen wrth droed y gwely, a blanced yn hongian oddi ar raff rhwng y ddau wely er mwyn preifatrwydd. Gwyddai fod nifer o deuluoedd eraill mor fawr fel nad oedd lle yn y tŷ i bawb fod ynddo yr un pryd yn ystod oriau'r dydd, a bod y merched hŷn yn aml yn gorfod mynd i aros efo pherthnasau.

'Bydda i'n helpu efo'r rhent rŵan, Mam,' dywedodd John un diwrnod, gan feddwl byddai hynny'n gwneud i Cêti deimlo'n well. Doedd hi ddim yn edrych ymlaen o gwbwl at weld John yn cychwyn yn y pwll; roedd hi wedi gwneud hynny'n ddigon clir ers iddyn nhw ddod yma i fyw.

Ond yr unig beth wnaeth hi oedd gwenu ei gwên fach

dynn, a throi'r stori fel y gwnâi bob tro y byddai John yn
sôn am fynd i weithio.

Y noson cyn i John gychwyn yn y pwll, meddai ei dad wrtho:
'Ty'd, 'rhen ddyn, mi awn ni am dro bach i'r mynydd, ia?'
    Noson braf o wanwyn oedd hi, a'r gwenoliaid yn gwibio'n ôl
ac ymlaen uwch eu pennau wrth iddyn nhw ddringo'r llwybr.
    'Wel?' meddai Edward ar ôl iddo fo a John eistedd ar graig
fawr a edrychai i lawr dros y pentref a'r pwll. 'Sut w't ti'n
teimlo?'
    'Fel taswn i wedi bwyta llond powlan o bryfaid cop,'
atebodd John.
    Gwenodd Edward Williams yn dawel. 'Ia, mwn,' meddai.

'Ond dwi'n edrach ymlaen yn fawr iawn hefyd,' ychwanegodd John yn frysiog.

'W't ti go iawn?' meddai ei dad.

'Ydw!'

'O . . .' meddai Edward. 'Wel – ma hynny'n dda o beth, decini. Oherwydd mae llawar iawn o hwyl i'w gael yno – cesys ar y naw ydi rhai o'r hogia . . .'

'Y *bytis*, ia Nhad?' meddai John ar ei draws, a gwenodd Edward eto.

'Ia – y bytis,' meddai. 'Ac maen nhw i gyd yn hen hogia iawn; mi wnan nhw unrhyw beth i ti. Ond wyddost ti be? Pan ddois i yma gynta, do'n i ddim yn edrach ymlaen o gwbwl at fy niwrnod cynta yn y pwll. Os rhywbath, John, mi ro'n i'n teimlo'n swp sâl dim ond wrth feddwl amdano fo. Roedd arna i *ofn*, sti.'

Rhythodd John ar ei dad. 'Oeddach chi? Y *chi*?' meddai. I John, Edward Williams oedd y dyn dewraf yn y byd, ac roedd y syniad ohono'n ofni rhywbeth yn . . . yn . . . wel, yn hurt bost.

'Oedd, wir i ti,' meddai Edward. 'Roedd y syniad o fynd i lawr i ddyfnderoedd y ddaear yn yr hen gaetsh yna'n codi'r ofn mwya ofnadwy arna i. Y syniad wedyn o fod yno, yn y tywyllwch, am oria ac oria. Y peth oedd, ti'n gweld, ro'n i wedi treulio'r rhan fwya o 'mywyd cyn hynny allan yn yr awyr agored, yn do'n i? Un ai yn y chwaral neu'n helpu dy daid ar y tyddyn.'

Eisteddodd yn dawel am ychydig, yn syllu i gyfeiriad y pwll. Ond roedd rhywbeth yn dweud wrth John nad y pwll roedd Edward Williams yn ei weld, ond muriau llwydion y chwarel a'r waliau cerrig o gwmpas y tyddyn, gydag ambell i dwnsiad o wlân yn tyfu ohonyn nhw fel mwsog gwyn ac yn chwifio'n dawel yn y gwynt.

Yna ymysgydwodd. 'Ond wyddost ti be? Ymhen rhyw wythnos ne' ddwy, ro'n i'n tshampion. Y peth pwysig ydi, rydan ni'r glowyr – oherwydd dyna be ydw i bellach, a dyna be fyddi ditha o fory ymlaen – rydan ni i gyd yn edrach ar ôl ein gilydd. Dyna be ydi gwir ystyr y gair "byti", ti'n gweld – ffrind sy'n gweithio efo chdi, ac un edrychith ar d'ôl di, dim ots be. Felly, os fedri di ddangos dy fod ditha'n barod i fod yn "fyti", mi fyddi di'n tshampion.'

Cododd i'w sefyll.

'Ty'd, 'rhen ddyn, well i ni 'i throi hi am adra.' Gwenodd i lawr ar ei fab. 'Oreit, byti boi?'

'Oreit, byt!' atebodd John.

Y Diwrnod Cyntaf

Mewn gwirionedd, roedd dau bwll yng nglofa Senghennydd, sef y York Pit a'r Lancaster Pit. Aeth John i weithio i'r un pwll â'i dad, Pwll Lancaster. Gadawodd y tŷ efo'i dad ben bore, ac wrth gerdded i lawr yr allt a synau traed y glowyr eraill o'i gwmpas fel sŵn cawod drom o genllysg ar do sinc, gwyddai fod Cêti a Magwen yn ei wylio'n mynd, a bod llygaid ei fam yn sgleinio'n wlyb unwaith eto.

'Iawn, 'rhen ddyn?' gofynnodd ei dad iddo wrth iddyn nhw ymwasgu i mewn i'r gaetsh – neu'r gawell – fyddai'n mynd â nhw i lawr i grombil y ddaear.

'Tshampion . . .' Cliriodd John ei wddf; roedd meddwl am lygaid ei fam yn sgleinio wedi creu hen lwmp annifyr yn ei wddf yntau. 'Ydw, tshampion,' meddai eto. 'Ond does 'na ddim llawar o le yma, yn nag oes?'

'Nag oes. Wedi cael eu cynllunio'n bennaf ar gyfer cludo'r trycia glo – y "drams" ne'r dramia – i fyny ac i lawr mae'r hen gaetshys 'ma. Dramia llawn i fyny, dramia gweigion yn ôl i lawr. Dim ots amdanon ni'r dynion, sti.'

Ni'r dynion! O'r diwedd, meddyliodd John, dwi'n un o *ni'r dynion*!

Teimlodd ei hun yn gwenu am y tro cyntaf ers iddo adael y tŷ.

Un o'r pethau cyntaf welodd John dan y ddaear oedd ceffyl.

Wrth gwrs, roedd o'n gwybod am geffylau'r pyllau glo – bod dros 17,000 ohonyn nhw'n cael eu defnyddio ym mhyllau glo De Cymru – ond roedd dod wyneb yn wyneb ag un o dan y ddaear fel hyn yn dal i fod yn rhyfedd.

'Wn i,' meddai Edward pan soniodd John am hyn. 'Anifeiliaid yr awyr iach ydi ceffyla, yndê? Ond basa petha'n o ddrwg arnon ni yma hebddyn nhw.'

Gwaith John oedd llwytho'r dramiau – â thalpiau o lo oddi ar y llawr. Dangosodd ei dad iddo sut oedd defnyddio'r bocs cyrlio, sef rhywbeth tebyg i fwced â thair ochr a dwy glust. 'Cofia di, chlywi di neb yn deud "bocs cyrlio" yma,' meddai Edward. '*Curling box* ma pawb yn 'i alw fo.'

'Sgubo'r glo i fyny w't ti efo hwn,' eglurodd Edward. 'Ma hynny'n haws o beth myrdd na chodi bob un talp fesul un efo dy ddwylo. Mi fasat ti yma am hydoedd cyn llenwi un dram. Ond paid â mynd fel coblyn – cymera d'amsar. Coelia di fi, mi fydd dy gefn di'n brifo fel wn i ddim be erbyn heno 'ma fel ma hi.'

Yn ystod y dydd cafodd ei gyflwyno i nifer o'r glowyr eraill, ond wir – gwyddai petai o'n eu gweld eto ar ddiwedd y shifft, mewn golau dydd, na fyddai unrhyw syniad ganddo pwy oedd pwy. Roedd hi mor dywyll i lawr yn y pwll, yr unig beth a welai John gan amlaf oedd siâp rhywun yng ngoleuni gwan ei lamp a llais yn dweud, 'Shwma'i, byt?'

Heblaw, wrth gwrs, am y lleisiau a glywai'n dweud pethau fel, 'Dow, sut ma'r hogyn? Dy fam sy wedi dy hel di yma, ia, i gadw golwg ar yr Edward Wilias 'ma, a gweld os ydi o'n bihafio'i hun?'

Ia – Gogleddwyr eraill. Roedd yna amryw wedi dod yma i weithio ers i John a'i deulu setlo yma, gan gynnwys rhai o Drawsfynydd a Blaenau Ffestiniog – cyn-chwarelwyr, fel Edward Williams.

Roedd clywed eu lleisiau wastad yn codi hiraeth ar John, am yr Hen Adra ac am Now Be Nesa'n enwedig. Sgwn i be ydi hanas yr hen Now erbyn hyn? meddyliodd droeon wrth i'r diwrnod cyntaf hwnnw wibio heibio. Tasa fo ond yn gallu fy ngweld i rŵan! Mi wn i'n iawn be fasa fo'n ei ddweud, hefyd. Ia – *be nesa*?

Ac yno, yn nhywyllwch trwm y pwll glo, gallai John Williams weld yn glir, yn ei feddwl, ei hen ffrind yn hanner codi ei law arno yn yr orsaf cyn troi a cherdded i ffwrdd yn yr heulwen . . .

'Iawn, 'rhen ddyn?'

Neidiodd John. Roedd y plygu, sgubo glo, ymsythu a thywallt y glo i mewn i'r dramiau'n waith go undonog ac roedd John wedi dechrau hel meddyliau a breuddwydio.

Tynnodd Edward Williams ddarn o sialc o'i boced a gwneud ei farc ar ochor y dram. 'Ar gyfar y tshec-wê-man,' meddai.

'Y be?' holodd John.

'O, dyn pwysig ydi hwnnw!' meddai Edward. 'Y *check-weigh-man,*' meddai'n araf. 'Rydan ni i gyd yn talu dau swllt iddo fo bob pythefnos. Mae o'n disgwl i fyny ar yr wynab, a phan ddaw un o'r dramia i fyny ato fo, ei waith o ydi gneud nodyn o farc pwy sy ar y dram, ac yna gofalu fod y llwyth glo'n cael ei bwyso'n iawn. Does 'na neb ohonan ni'r glowyr yn cael ein twyllo wedyn. Ma hynny werth swilltyn yr wsnos, dw't ti ddim yn meddwl?'

Nodiodd John. Fel nifer o dermau eraill, roedd o wedi clywed am y dynion hyn eisoes. Ond roedd bod yma o dan y ddaear yn eu gwneud nhw i gyd yn *fyw*, yn fwy *real* – bron nes eu bod nhw'n

swnio fel termau newydd sbon. Fel yr enwau am y gwahanol

fathau o nwyon peryglus oedd i'w cael yn y pyllau glo. Y rhain

oedd yn codi'r ofn mwyaf ar y glowyr, oherwydd eu bod nhw'n

bethau mor slei ac yn gallu effeithio arnoch chi bron cyn i chi

sylweddoli eu bod nhw yno. *Choke damp* oedd un, ac fel mae'r

enw'n awgrymu, eich mygu chi wnâi'r nwy yma. Wedyn y *fire*

damp, sef nwy a fedrai ffrwydro fel bom. Ac yna'r *after damp*, sef y

nwy a ddeuai ar ôl ffrwydrad, i'ch mygu i farwolaeth – felly os na fyddai'r ffrwydrad wedi'ch lladd chi, yna roedd yr *after damp* yn sicr o wneud ei orau glas i orffen y gwaith.

Ar ben hynny, roedd nifer o'r glowyr yn dioddef o'r 'stagyrs'. Penysgafndod go ddrwg oedd hwn, gan beri iddyn nhw deimlo'n chwil – yn wir, roedd llawer ohonyn nhw'n llewygu ac yn cael 'blacowts' yn bur aml. Achoswyd hyn gan weithio am oriau hirion efo dim ond golau bychan eu lampau i dorri fymryn ar y tywyllwch ofnadwy o'u cwmpas nhw.

Ceisiodd John beidio â meddwl am ryw hen bethau annifyr fel'na. Cofiodd am yr hyn a ddywedodd Bili Dando wrtho: 'Y peth gore i'w neud yw ceisio anghofio ambyti nhw a bwrw mlan 'da'r gwaith. Fel arall, ma'n ddigon i dy hala di'n benwan, byt.'

Roedd Bili'n gweithio yn y pwll arall, y York Pit, ac ar ddiwedd y shifft, pan ddychwelodd John i'r wyneb, dyna lle roedd Bili'n aros amdano.

'Wel? Shwt ath hi, 'te?' gofynnodd wrth i John ddod allan o'r gawell.

Teimlad rhyfedd oedd camu allan o'r tywyllwch i olau dydd. Cymerodd funud neu ddau i lygaid John arfer efo'r goleuni. Gwenodd ar Bili, ac edrychai ei ddannedd yn wynnach nag erioed yn ei wyneb du.

'Tshampion, byt!'

Er ei fod o wedi blino'n lân, ac er bod pob modfedd o'i gorff yn brifo, cafodd drafferth cysgu'r noson honno. Roedd ei feddwl yn mynnu ail-fyw bob munud o'r diwrnod cyffrous hwn, drosodd a throsodd.

Gwnaeth ei orau i beidio â meddwl am bethau fel damweiniau a nwy a'r stagyrs, ond er ei waethaf, dechreuodd feddwl am rai o'r straeon am y pyllau glo a glywodd ar fuarth yr ysgol. Bod bob un pwll, er enghraifft, yn gartref i lygod mawr anferth, cymaint â lloi bach, â dannedd miniog a llygaid cochion. Bod y pwll yn gartref hefyd i hanner-dyn, hanner-blaidd, a bod wiw i'r un glöwr dreulio gormod o amser yno ar ei ben ei hun rhag ofn i'r bwystfil hwn neidio arno a'i lusgo i dywyllwch pellaf un y pwll.

'Lol botes maip!' meddai John wrtho'i hun.

Ond roedd o hefyd wedi clywed fod ysbrydion y glowyr a gafodd eu lladd yn namwain 1901 yn dal i grwydro'r pwll, yn ochneidio ac yn sibrwd wrth iddyn nhw chwilio am y ffordd allan, i'r goleuni.

Rywsut, doedd hi ddim yn hawdd iawn wfftio at y stori arbennig honno.

Hunllefau Cas

Trodd y gwanwyn yn haf, a'r haf wedyn yn hydref. Erbyn hynny roedd John wedi hen roi'r gorau i hel meddyliau gwirion am lygod mawr anferth a dynion a oedd yn hanner-bleiddiaid. Ac er nad oedd o wedi anghofio am y nwy, roedd o wedi dysgu'i hun i beidio â meddwl amdano.

Ar y ffordd i'r gwaith un bore, sylwodd John fod Bili Dando'n dawel iawn. Doedd hyn ddim fel y fo; fel arfer byddai Bili'n parablu pymtheg y dwsin. 'Melin bupur, os gwelais i un erioed!' dywedai Cêti amdano'n aml.

'W't ti'n teimlo'n iawn?' gofynnodd John iddo.

Ochneidiodd Bili. 'Odw, sbo,' meddai. 'Ond . . . wel, wy'n becso ambyti Mam, ti'n gwbod.'

Er mai ond yr wythnos gyntaf o fis Hydref oedd hi, roedd dannedd miniog ac oer y gaeaf i'w teimlo'n barod yn y gwynt.

'Be sy'n bod arni?' gofynnodd John.

Edrychodd Bili arno. 'Paid gweud nad wyt ti wedi'i *chlywed* hi, John,' meddai. 'Yn y nos, yn sgrechen dros y tŷ.'

'Ah . . . wel . . . ymm . . . do, a bod yn onast efo chdi,'
atebodd John.

Yn wir, buasai'n rhaid iddyn nhw i gyd fod yn fyddar i
beidio â chlywed Ceridwen Dando'n sgrechian drwy'r pared.
Y tro cyntaf iddo ddigwydd, ychydig dros wythnos yn ôl,
roedd Cêti wedi neidio o'i gwely mewn braw. 'Be goblyn ma'r
dyn bach yna'n ei neud iddi?' meddai. 'Ydi o'n ei mwrdro hi?'

Nag oedd, wrth gwrs, doedd Jo Dando ddim yn gwneud
y ffasiwn beth. 'Breuddwyd cas gafodd hi,' meddai wrth
Edward bore drannoeth. 'Paid becso, ma Ceri'n eu cal nhw o
bryd i'w gilydd. Ma'n flin 'da fi am eich dihuno chi.'

'Nefi, paid â phoeni am hynny!' meddai Edward wrtho,
ond roedd ganddo'r teimlad nad oedd Jo wedi dweud y *cyfan*
wrtho. Wedi'r cwbwl, roedden nhw'n byw drws nesaf i'w
gilydd ers blynyddoedd, a dyna'r tro cyntaf iddo glywed fod
Ceridwen yn cael hunllefau cas bob hyn a hyn. Yn sicr, doedd
Edward na neb arall o'i deulu erioed wedi'i chlywed hi'n
sgrechian fel yna o'r blaen.

Digwyddodd eto ddwy noson yn ddiweddarach. Yna
dechreuodd ddigwydd bob nos – yn ystod oriau mân y
bore bob tro. Roedd Cêti erbyn hynny'n poeni'n fawr am
Ceridwen, druan.

'Well i ni beidio â sôn gair nes eu bod nhw'n teimlo fel deud rhywbath wrthon ni,' meddai Edward, gan siarsio John a Magwen i beidio â chrybwyll y peth wrth 'run o blant y Dandos.

Ond heddiw roedd Bili o'r diwedd wedi mentro codi'r mater efo John, felly teimlai John fod hyn yn rhoi caniatâd iddo holi rywfaint ar ei ffrind.

'Breuddwydio am be ma hi, felly?' gofynnodd.

'Dyna'r peth, sai'n gwbod yn iawn,' ochneidodd Bili. 'Dyw hi ddim yn siŵr ei hunan. Mond ei bod hi mas miwn lle agored – cae ne' draeth ne' rywle – a bod rhywbeth ofnadw'n rhedeg ar 'i hôl hi.'

'Nefi!' meddai John. 'Dyna be dwi'n ei alw'n hunlle. Be'n union ydi o, ti'n gwbod – y peth ofnadwy 'ma . . .?'

'Cwmwl mawr du,' meddai Bili. 'Ond y peth yw – yr un freuddwyd yw hi bob tro, ond fod y cwmwl du'n dod yn nes ac yn nes ati bob nos.'

Y Ddannodd

Erbyn diwedd yr wythnos honno, nid Ceridwen Dando oedd yr unig un i gael trafferth cysgu.

Roedd Cêti wedi sylwi ddyddiau ynghynt fod Edward yn cnoi ei fwyd yn araf a phwyllog, ac yn gwneud ei orau i ddefnyddio ochr dde ei geg yn unig.

'Ydi'r ddannodd arnat ti, Edward?'

'O, dim byd mawr. Mi fydd o wedi mynd ymhen chydig ddyddia, gei di weld,' atebodd ei gŵr. 'Fel'na mae o efo fi bob tro, yndê? Rhyw fynd a dŵad.'

Ond nid y tro hwn. Roedd y ddannodd wedi dod, oedd – ond doedd o ddim yn cynnig mynd. Os rhywbeth, trodd yn waeth efo pob diwrnod a âi heibio. Chysgodd Edward druan 'run winc dros y penwythnos.

'Mae o fel tasa rhywun yn gwthio nodwydd boeth i mewn iddo fo,' meddai, 'ac mae'r poen yn saethu trwydda i efo pob curiad o 'nghalon. Wyddoch chi be? Drwy'r nos, ro'n i o fewn dim i waldio fy mhen yn erbyn postyn y drws, dim ond er mwyn cael poen gwahanol i hwn.'

Erbyn y nos Lun roedd ei foch chwith wedi chwyddo'n fawr ac roedd o'n crynu trwyddo, fel deilen, er bod ei dalcen yn chwilboeth ac yn sgleinio gan chwys. Aeth Cêti drws nesa a gofyn i Ceridwen ddod draw i gael golwg arno ac fe ddaeth hi'n syth bìn, hi a Jo. Doedd yr un o'r Dandos byth bron yn sâl oherwydd gwyddai Ceridwen am bob mathau o ffisigau gwahanol, i gyd wedi'u gwneud â'r planhigion a dyfai'n wyllt yn y wlad o gwmpas Senghennydd.

'Pam na fyddech chi 'di galw arna i cyn hyn?' dwrdiodd Ceridwen pan welodd hi'r fath gyflwr oedd ar Edward druan. 'Falle y byddwn i 'di gallu neud rhywbeth ddyddie'n ôl. Llinyn o farlys wedi'i glymu am garreg, a thwlu'r garreg miwn i'r afon . . .'

'*Be?*' meddai Cêti.

'Neu ddarn o arlleg gwyllt ar y dant . . .' Ysgydwodd Ceridwen ei phen. 'Rhy hwyr i fecso ambyti 'ny nawr,' meddai. Dododd flaenau'i bysedd yn ysgafn yn erbyn boch chwyddedig Edward. 'Nage'r ddannodd gyffredin sy 'da fe nawr, ond y ddannodd wa'd.'

Rhythodd Edward arni â braw. 'Be goblyn ydi peth felly–?'

'Ma'r gwenwyn o'r dant wedi mynd i dy wa'd di, Edward,' meddai Ceridwen. 'Dyna pam wyt ti'n crynu fel'na, ac yn

whysu ar yr un pryd. Beth yw'r gair Saesneg ambyti fe, 'fyd . . .? O, ie – *abscess*, 'na fe.'

Trodd at Cêti. 'Alla i neud dim byd iddo fe nawr, ma'n flin 'da fi. Y peth gore fydde iddo fe fynd i Gaerffili i weld y deintydd ben bore fory.'

'Be – a cholli diwrnod o waith?' protestiodd Edward. 'A thalu beth bynnag dau swllt iddo fo?'

'Ma hynny'n well na cholli dy fywyd, Edward bach,' meddai Cêti.

Edrychodd Ceridwen arni'n siarp, ond roedd Cêti'n rhy brysur yn poeni am Edward i sylwi.

Ond fe sylwodd John.

'Ti'n gweld, byt? Sdim lot o ddewis 'da ti,' meddai Jo. 'Alli di ddim gwitho fel'na, ta beth.'

'Alli di ddim gofyn i dy bartner witho shifft ddwbwl?' gofynnodd Ceridwen.

Weithiau, os oedd un o'r glowyr yn gorfod colli diwrnod o waith am ryw reswm, byddai ei bartner yn gweithio'r ddwy shifft ac yn rhoi'r arian i'r glöwr a oedd i ffwrdd. Byddai hwnnw wedyn yn talu'n ôl drwy wneud yr un peth i'w 'fyti'. Dyna sut roedd y glowyr yn arfer edrych ar ôl ei gilydd.

Ond roedd Edward yn ysgwyd ei ben. 'Moc Morgan ydi o,' meddai.

'A so fe'n byw yn Senghennydd,' eglurodd Jo, 'felly ma'n rhy hwyr i ni ofyn iddo fe heno. Shgwl – weda i beth. Be 'sen i'n neud dy shifft di fory, yn y Lancaster? Fydd dim ots 'da Wil Watkins 'y mhartner i neud shifft ddwbwl.'

'Argol, alla i ddim gofyn i ti neud hynny, Jo,' meddai Edward.

'So ti *yn* gofyn, w't ti, byt,' meddai Jo. 'Fi nath gynnig, os wy'n cofio'n iawn. Reit – 'na hwnna wedi'i setlo. Wela i di fory, John, oreit?'

'Diolch, Jo,' meddai Edward yn wan.

Ar ôl i'r Dandos fynd, meddai Magwen, ''Doedd Ceridwen yn edrach yn wael?'

'Dydi hi ddim wedi cal llawer o gwsg yn ddiweddar, chwara teg,' meddai Cêti.

'Dw inna ddim chwaith, diolch iddi hi a'i sgrechian bob nos.'

'O, bydd ddistaw, Magwen, nei di!'

Trodd pawb i rythu ar John. Teimlodd yntau ei hun yn cochi. 'Wel, chwara teg,' meddai. 'Ma hi wedi bod yn cal hunllefa cas bob noson ers wythnosa, felly dim rhyfadd ei bod hi'n edrach yn wael. A dw't ti byth bron yn deffro, beth bynnag. Rwyt ti'n rhy brysur yn chwyrnu cysgu drwyddyn nhw i gyd.'

'Dwi ddim yn chwyrnu!' dadleuodd Magwen.

'Wyt, mi w't ti,' meddai John. 'Fel hwch.'

'O'r gora, John, dyna ddigon,' meddai Cêti. 'A gen titha hefyd, Magwen. Cofiwch fod eich tad mewn poen yma.' Trodd at Edward. 'Ngwas bach i . . . Dwi'n cymryd dy fod di am fynd i weld y deintydd fory, felly?'

Nodiodd Edward yn ddigalon. 'Does gen i ddim llawar o ddewis, yn nag oes?' atebodd. Edrychodd ar John. 'Fyddi di'n iawn hebdda i fory, 'rhen ddyn?'

'Fi? Byddaf, Nhad,' atebodd John. 'Mi fydda i'n tshampion.'

Y Diwrnod Du

Roedd yr ystafell yn dal i fod mewn tywyllwch pan ddeffrodd Ceridwen ben bore dydd Mawrth.

Ond beth oedd y teimlad rhyfedd yna?

Teimlad . . . braf, rywsut.

Yna sylweddolodd beth oedd o. Am y tro cyntaf ers dyddiau lawer – ers wythnosau, a dweud y gwir – roedd hi wedi cael noson dda o gwsg. Dim hunllefau cas – dim breuddwydion o unrhyw fath, hyd y gwyddai. Dim ofn, a dim sgrechian.

O, roedd o *yn* deimlad braf!

Trodd er mwyn cwtsho at ei gŵr – ond doedd Jo ddim yno. Ble ar y ddaear oedd o? Oedd o wedi codi'n barod? Ar yr un pryd, clywodd Ceridwen ei lais yn dod o'r stryd, o dan ffenest ei hystafell wely.

Yffach – faint o'r gloch oedd hi? meddyliodd Ceridwen mewn panig.

Yna clywodd sŵn traed Jo'n dod i fyny'r grisiau ac i mewn i'r ystafell wely.

'Jo?' meddai Ceridwen. 'Be sy'n bod?'

'Sshh, ma'n iawn, sdim byd yn bod,' sibrydodd Jo. 'Gweud pob lwc wrth Edward 'da'r deintydd o'n i. Mae e newydd fynd am y trên. 'Sen i ddim yn newid lle 'da fe am ffortiwn, Ceri!'

'Ond . . . ma'n amser codi, siŵr o fod . . .'

Roedd yn anodd dweud y dyddiau hyn, gan ei bod hi mor dywyll yn y boreau cynnar. Dechreuodd Ceridwen godi o'r gwely, ond teimlodd ddwylo Jo yn ei gwthio i lawr yn ei hôl.

'Ma'n iawn, ma'n iawn,' meddai Jo. 'Wy 'di neud brecwast i Bili a minne, ac ro't ti wedi gofalu am y Tomi-bags nithwr.' Roedd Tomi-bag gan bob un o'r glowyr: ynddyn nhw roedden nhw'n cadw eu bwyd ar gyfer amser cinio. 'A nithwr, Mrs Dando, odd y noson gynta o gwsg i ti'i chal ers . . . ers . . . o, ers pan odd e, Moses, yn gwishgo pais, ontefe? Felly aros di yn dy wely am chydig 'to.'

Gallai Ceridwen weld ei siâp nawr, yn nhywyllwch yr ystafell.

'Grynda,' meddai wrthi. 'Cofia 'mod i am fynd lawr Pwll Lancaster heddi, 'da'r crwt drws nesa, gan fod Edward bant 'da'r deintydd.'

Teimlodd Ceridwen hen oerni rhyfedd yn rhedeg drwyddi am ryw reswm. Gobeithio nad ydw i miwn am annwyd, meddyliodd.

'Fydd e, Bili, yn oreit?' gofynnodd.

'O, paid becso ambyti Bili, bydd e'n iawn 'da Wil Watkins a bois eraill Pwll York.' Cusanodd Jo hi ar ei thalcen. 'Reit – wela i di amser te.'

Gwyliodd Ceri ei siâp yn mynd am y drws.

'Jo . . .' meddai.

'Ie, bach?'

'O, dim byd.' Oedd, roedd hi *yn* teimlo'n well heddiw, am y tro cyntaf ers diwedd yr haf. 'Dim byd,' meddai eto. 'Bydd yn ofalus.'

'Siŵr o neud, bach.'

Arhosodd Ceridwen yn ei gwely ymhell ar ôl iddi glywed Jo a Bili'n gadael y tŷ a gwrando ar synau'r plant eraill wedyn wrth iddyn nhw godi a gwisgo amdanynt. Mae'n rhaid fod Jo wedi eu siarsio nhw i adael llonydd iddi heddiw. Chwarae teg iddo, meddyliodd, ond alla i ddim aros yma drwy'r bore, fel rhyw hen iâr ar ei nyth.

Yn enwedig a hithau'n olau dydd erbyn hyn.

Cododd ac agor y llenni gan deimlo fel petai hi wedi mendio ar ôl salwch hir. Tynnodd ei gŵn amdani a mynd i lawr y grisiau. Yno roedd Blodwen ei merch hynaf yn dod â phowlen o ddŵr o'r sgylyri i'r gegin, a'r plant eraill i gyd yn eistedd o gwmpas y bwrdd.

'Ma'ch mam ddiog wedi penderfynu codi o'r diwedd . . .'
cychwynnodd Ceridwen, cyn sylweddoli fod Blodwen yn
rhythu arni mewn braw.

'Be sy'n bod?'

Rhoddodd Blodwen sgrech uchel a gollwng ei phowlen
nes i honno falu'n deilchion ar y llawr a'r dŵr yn tasgu i bob
cyfeiriad. Ond edrychodd 'run o'i brodyr na'i chwiorydd arni
– roedden nhw i gyd yn rhythu ar eu mam a'r un dychryn ar

eu hwynebau . . . oherwydd roedd gwallt du, hardd Ceridwen
– gwallt a oedd yn dduach na phlu cigfrain y mynydd – wedi
troi'n hollol, hollol wyn.

'A ble ma'ch tad heddi?'

Craffodd y swyddog ar John fel petai o'n disgwyl gweld
Edward yn sbecian allan o un o'i bocedi.

Eglurodd John am y ddannodd gwaed.

'Y ddannodd?' meddai'r swyddog. 'Wel, ro'n i 'di clywed
taw pethe itha rhyfedd y'ch chi lan yn y North, ond dyma'r
tro cynta i fi glywed eich bod chi'n tyllu'r glo mas 'da'ch
dannedd.'

Edrychodd John arno'n hurt. Oedd hwn yn ceisio bod yn
ddoniol, neu'n ceisio bod yn gas?

Roedd y ddau fanciwr – yr arolygwyr pen pwll – wedi clywed
hyn. 'Gad lonydd i'r crwt,' gwaeddodd un ohonyn nhw ar y
swyddog. 'Wy 'di cal yr hen ddannodd wa'd 'na fy hunan, ac
ma fe'n beth ofnadw.'

'Yn gwmws,' cytunodd y banciwr arall. 'Bydde'n neud byd
o les i tithe 'i gal e 'fyd,' meddai wrth y swyddog. 'Falle bydde
mwy o gydymdeimlad 'da ti tuag at fois erill wedyn.'

Doedd y swyddog ddim wedi hoffi hyn. Rhoes groes fawr yn

erbyn enw Edward. 'So ni'n talu cyflog i bobol sy'n aros gartre oherwydd tamed bach o boen . . .' Yna craffodd ar Jo Dando. 'Dando . . .' meddai. 'Nage yn y York Pit wyt ti i fod?'

'Wy'n helpu'r crwt tra bo'i dad e bant yn cal neud 'i ddant,' meddai Jo. 'Os yw hynny'n iawn . . .'

'Wel, wy ddim yn siŵr ambyti 'ny . . .' cychwynnodd y swyddog, ond roedd y ddau fanciwr yn dal i wrando.

'Wrth gwrs 'i fod e'n iawn!' gwaeddodd un ohonyn nhw.

'Yn gwmws!' cytunodd y llall. 'Ma'n rhaid i rai bois gal neud ffwdan mowr ambyti popeth.'

A'i wyneb yn goch fel tomato, nodiodd y swyddog ar Jo a John a gwneud nodyn yn ei lyfr. Tarodd Jo winc ar John a chamodd y ddau i mewn i'r gawell. Wrth iddyn nhw gychwyn i lawr i'r pwll, y peth olaf a welodd John oedd wyneb blin y swyddog yn goch o hyd wrth i'r ddau fanciwr gael hwyl am ei ben bach pwysig.

Welodd o na Jo mo'r ddynes â'r gwallt hir gwyn yn cyrraedd giatiau'r pwll a'i gwynt yn ei dwrn, a braw ac ofn yn llenwi'i hwyneb.

Gwyddai Ceridwen fod nifer o bobol wedi edrych arni'n rhyfedd – y ddynes od ei golwg a'i gwallt claerwyn dros y lle i gyd, yn rhedeg yn droednoeth fel peth gwyllt drwy'r strydoedd yn ei gŵn nos, fel petai hi wedi dianc o rywle – ond doedd dim ots o gwbwl ganddi amdanyn nhw. *Roedd yn rhaid iddi gyrraedd y pwll mewn pryd, cyn . . . cyn . . .*

Cyn beth?

Dyna'r drafferth – doedd hi ddim yn *gwybod*. Yr unig beth a wyddai hi oedd fod yn rhaid iddi redeg yma, fel ag yr oedd hi. Ond nawr, a hithau yma ac yn sefyll y tu allan i'r giatiau, sylweddolodd nad oedd ganddi syniad beth i'w ddweud wrth neb, na chwaith sut fyddai'n ateb petai rhywun yn gofyn iddi beth ar y ddaear oedd hi'n ei wneud yma.

Wrthi'n meddwl am hyn roedd hi pan syrthiodd cysgod rhywun dros ei hwyneb.

Edrychodd i fyny. '*Annie?*' meddai Ceridwen.

Nodiodd Big Annie. Roedd golwg wyllt arni hithau hefyd – mwy gwyllt nag arfer, hyd yn oed – ac roedd hi'n tuchan fel hen injan wrth iddi geisio cael ei gwynt ati.

'Do *you* know why you've come here, Annie?' gofynnodd Ceridwen.

Edrychai Big Annie arni fel petai hi'n dal i fod yn hanner cysgu. Yna ysgydwodd ei phen.

'I do not,' meddai. 'Only that . . . that I *had* to . . .'

Nodiodd Ceridwen, gan feddwl: ma mwy o'r Romani yn
hon nag ro'n i'n tybio. Daliodd ei llaw allan, ac â gwên fach
ddiolchgar, cydiodd Big Annie ynddi'n dynn.

Daeth cysgod arall dros Ceridwen nawr, a phan edrychodd
i fyny'r tro hwn, gwelodd mai cwmwl mawr du oedd yno
– a hwnnw wedi llenwi'r awyr uwchben Senghennydd, gan
guddio'r haul.

Yr un cwmwl du a fu'n rhuthro ar ei hôl yn ei breuddwydion ers wythnosau.

Ar yr un pryd, teimlodd y ddwy wraig y ddaear yn ysgwyd dan eu traed.

Roedd y ddau fanciwr – Jac a John – yn chwerthin wrth wylio'r swyddog bach pwysig yn cerdded i ffwrdd oddi wrthynt.

'Fel tomato 'da choese!' meddai Jac.

Wrth iddyn nhw ei wylio, gwelsant y swyddog yn aros yn stond, yna'n siglo o ochr i ochr ac yn syrthio ar ei hyd. Ar yr un adeg, teimlasant hwythau'r ddaear yn ysgwyd.

'Beth yffach–' cychwynnodd Jac.

Yr eiliad nesaf daeth ffrwydrad – yn union fel petai'r ddaear ei hun yn taflu i fyny. Roedd y glec a ddilynodd ddeg gwaith yn uwch na'r daran uchaf a glywodd neb erioed. Clywyd hi drwy'r ardal gyfan – cyn belled â Chaerffili, lle roedd Edward Williams newydd gael tynnu'i ddant ac yn dweud wrtho'i hun nad oedd arno fo fyth, byth eisiau profi'r fath boen eto!

Roedd y ffrwydrad yn ddigon cryf i chwythu'r gawell haearn yn ôl i fyny'r shafft, a doedd wybod pa mor uchel y byddai'r gawell wedi dringo pe na bai'r olwyn fawr wedi'i hatal. Ffrwydrodd y gawell yn ei thro wrth daro yn erbyn y gêr weindio . . .

Y peth olaf a welodd Jac y banciwr cyn iddo yntau gael ei hyrddio oddi ar ei draed gan wynt poeth a'i chwythodd lathenni i ffwrdd, oedd darn mawr o haearn yn saethu'n rhydd, fel bwyell, gan dorri pen John y banciwr arall i ffwrdd yn gyfan gwbwl.

Byrlymodd pobol allan o bob un tŷ yn Senghennydd. Merched oedd y rhan fwyaf ohonyn nhw – gwragedd, mamau, neiniau, chwiorydd, cyfnitheroedd, nithoedd a merched. Benywod o bob siâp a phob oed, ond roedd un peth ganddyn nhw i gyd yn gyffredin y bore ofnadwy hwn: roedden nhw i gyd yn teimlo'r un ofn.

Rhedasant am y lofa nerth eu traed, rhai ohonyn nhw'n gwisgo'r nesaf peth i ddim ac eraill wedi gwisgo'r dilledyn cyntaf a ddaeth i law.

Ceridwen a Big Annie oedd y rhai cyntaf i gyrraedd y ddau bwll.

'Be ddigwyddodd?' sgrechiodd Ceridwen ar un swyddog oedd yn brysio heibio iddyn nhw.

Edrychai hwnnw am funud fel petai o am barhau yn ei flaen,

ond arhosodd i ddweud yn gyflym, 'Ffrwydrad – ym Mhwll Lancaster.'

Lancaster . . . O diolch byth, meddyliodd Ceridwen, oherwydd yn York roedd Jo a Bili'n gweithio . . .

Jo! Cofiodd Cerdiwen nawr bod ei gŵr, cyn iddo adael yr ystafell wely y bore hwnnw, wedi dweud ei fod o am newid lle ag Edward Williams am y dydd. *Ei fod o am fynd i weithio ym Mhwll Lancaster!* Trodd at Big Annie, i weld y ddynes fawr yn rhythu i gyfeiriad ceg y pwll a'i hwyneb yn wyn fel petai rhywun wedi rhwbio blawd i mewn i'w chroen.

Deallodd Ceridwen yn syth fod Ezra Maldoon, hefyd, i lawr ym Mhwll Lancaster – y fo a'i fab Stanley, y taflwr cerrig.

Clywodd Ceridwen rywun yn galw'i henw, a throdd i weld Cêti a Magwen yn brysio i'w chyfeiriad.

'Ym mha un ma'r ffrwydrad?' gofynnodd Cêti. 'Ceridwen! *Ym mha bwll –?*'

A daeth Cêti'n agos iawn at lewygu pan welodd hi'r ateb wedi'i ysgrifennu'n glir ar wyneb Ceridwen Dando.

Agorodd John ei lygaid.

O leiaf, roedd o'n *meddwl* ei fod o wedi agor ei lygaid. Roedd hi mor dywyll, roedd yn amhosib iddo ddweud os oedden nhw ar agor ai peidio.

Dychmygwch eich bod wedi gwasgu eich dwylo dros eich llygaid. Yna bod rhywun yn clymu cadach du drostyn nhw, ac ar ôl hynny yn tynnu bag felfed du dros eich pen. Wel, roedd y tywyllwch o gwmpas John Williams yn waeth na hynny, hyd yn oed.

Lle roedd o?

Sylweddolodd ei fod o, rywsut neu'i gilydd, yn gorwedd ar ei gefn, a meddyliodd: Argol fawr, be ydw i'n ei *neud*, yn gorweddian fel hyn o gwmpas y lle? Dwi i fod yn gweithio . . .

Ceisiodd symud, ond roedd ei ben yn brifo'n ofnadwy a phenderfynodd aros fel ag yr oedd o am ychydig, nes bod ei ben yn teimlo fymryn yn well. Ac a dweud y gwir, roedd o'n teimlo'n bur gyfforddus, yn gorwedd fel hyn ar ei gefn.

Yn y tywyllwch.

Pum munud bach arall, meddyliodd.

Pum munud bach arall . . .

Caeodd ei lygaid.

Fel y rhan fwyaf o'r dynion oedd yn gweithio ym Mhwll York, doedd dim syniad gan Bili Dando fod unrhyw beth wedi digwydd. Fe gawson nhw i gyd eu galw'n ôl i fyny i'r wyneb, a dyna pryd y sylweddolon nhw fod yna ddamwain fawr wedi digwydd ym Mhwll Lancaster.

Pan gyrhaeddodd Bili yr wyneb, cafodd andros o fraw. Roedd y lofa'n llawn o bobol, gyda dynion yn rhuthro'n wyllt i bob cyfeiriad, a dwsinau – na, cannoedd – o ferched yn sefyll mewn clystyrau o gwmpas y lle, a mwy a mwy o bobol yn llifo i mewn drwy'r giatiau.

Dyna pryd y clywodd fod yna ffrwydrad mawr wedi digwydd ym Mhwll Lancaster, a bron i bedwar cant a hanner o ddynion yn gweithio yno.

Ac un ohonyn nhw, sylweddolodd, fel petai mul wedi'i gicio'n galed yn ei stumog, oedd ei dad.

'Bili! *Bili!*'

Trodd i weld dynes wallgo'n sgrechian ei enw ac yn ceisio ymwthio drwy'r dorf tuag ato. Pwy yffach yw hon . . .? meddyliodd. Dynes â gwallt mor wyn â'r eira . . . ond roedd ei hwyneb yn weddol ifanc, hefyd. Dylai rhywun â gwallt fel yna fod yn hen ofnadwy . . .

Yna sylweddolodd mai *ei fam* oedd hi.

'*Mam?*' meddai.

Cyrhaeddodd Ceridwen ef o'r diwedd. Lapiodd ei breichiau

amdano a'i wasgu'n dynn dynn yn ei herbyn. Yna gwthiodd o'n ôl oddi wrthi a rhythu i fyw ei lygaid.

'Dy dad?' meddai. 'Plis gwed . . . gwed 'i fod e wedi newid 'i feddwl ambyti mynd i witho 'da John drws nesa . . .?'

Er bod ei wyneb yn ddu gan lwch glo, gallai Ceridwen ei weld yn troi'n llwyd.

Teimlai Bili'n swp sâl, a meddyliodd fod ei goesau wedi troi'n dalpiau o glai. Doedd o ddim wedi *meddwl* am ei dad

tan rŵan, nes i'w fam ofyn. Trodd yn araf i gyfeiriad Pwll Lancaster, ac am y tro cyntaf gwelodd sut roedd y gawell haearn wedi malu'r gêr weindio.

Ac os oedd y ffrwydrad yn ddigon cryf i wneud *hynny*, yma ar yr wyneb, yna sut le oedd dan y ddaear, yng ngwaelod y pwll ei hun?

'O, Tada . . .' meddai. 'Tada . . .'

Roedd pen John yn dal i frifo, ac roedd y tywyllwch o'i gwmpas cyn ddued ag erioed. Hefyd, teimlai ei geg yn llawn o rywbeth, fel petai rhywun wedi gwthio hen glwt budur i mewn iddi. Llwch oedd o, sylweddolodd John, llwch glo – gallai ei deimlo'n crenshian rhwng ei ddannedd.

Trodd ei ben, gan boeri a phoeri.

Beth ar y ddaear oedd wedi digwydd?

Doedd o ddim yn gallu cofio . . . O, hanner munud! Roedd o'n cofio mynd i'w wrcwd y tu ôl i'r dram, a'r peth nesaf roedd yna wynt poeth yn chwythu drosto, ac roedd rhywun – rhywun hynod o gryf – wedi'i gipio o'i wrcwd a'i daflu â'i holl nerth yn erbyn un o'r pyst pren oedd yn dal y to.

Dyna'r peth olaf iddo'i gofio, cyn iddo ddeffro'n gorwedd ar ei gefn. O – ac fel roedd Jo Dando wedi cychwyn dweud stori wrtho am ddau hen frawd, un ohonyn nhw â dwy goes bren . . .

Jo!

Dechreuodd eistedd i fyny ond tarodd ei dalcen yn erbyn rhywbeth caled.

'Aww!' crawciodd. Roedd y llwch glo y tu mewn i'w wddf hefyd, a dechreuodd besychu. Rhoddai'r byd rŵan am ddiod o ddŵr. Cododd ei ddwylo'n ofalus i fyny o'i flaen, a theimlo o'i gwmpas.

Haearn!

Be goblyn . . .?

Yna sylweddolodd mai ochr y dram a deimlai. Dim rhyfedd iddo frifo pan darodd ei dalcen yn ei erbyn. Mae'n rhaid fod y gwynt poeth hwnnw wedi chwythu'r dram drosodd hefyd, oherwydd wrth symud ei ddwylo dros yr haearn yn y tywyllwch, sylweddolodd John fod y tryc bychan yn gorwedd ar ei ochr, yn erbyn y postyn pren.

Nefi! meddyliodd. Mae'n rhaid fod y postyn wedi rhwystro'r dram rhag syrthio arna i. Er mai tryciau bychain oedden nhw – o'u cymharu â'r tryciau mawrion fyddai'n cludo'r glo i Gaerdydd a thrwy Brydain i gyd – roedden nhw'n bethau trwm iawn.

Petai'r dram wedi syrthio arno, yna byddai John wedi cael ei wasgu i mewn i'r ddaear fel cocrotsien yn cael ei sathru dan sawdl rywun.

Bobol bach, meddyliodd, mi fûm i'n lwcus!

Ond beth am Jo Dando?

'Jo . . .?' Clywodd ei hun yn crawcian fel hen frân. Pesychodd eto, a phoeri rhagor o lwch glo. 'Jo?'

Dyna welliant. Ond doedd Jo ddim yn ei ateb.

Teimlodd John y braw a'r panig yn rhuthro trwy'i gorff. Oedd o yma, ar ei ben ei hun bach, o dan y ddaear?

Brenin mawr – oedd o wedi cael ei gladdu'n fyw yma?

'Jo!' gwaeddodd, a gallai glywed y braw yn llenwi'i lais. 'Jo – atebwch fi! Mr Dando! *Jo!*'

Dim smic – dim ond sŵn rhagor o lwch yn syrthio o'r waliau ac o'r to, gan wneud sŵn fel siwgwr yn cael ei dywallt o fag papur. Gallai deimlo'r dagrau poethion yn llosgi'i lygaid . . .

'*Paid, John Williams!*' meddai wrtho'i hun. '*Paid ti â meiddio crio fel rhyw hen fabi swci – w't ti'n 'y nghlywad i? Rw't ti'n fyw, a dw't ti ddim wedi brifo llawar heblaw am ryw dipyn o gur yn dy ben . . .*'

Rhedodd ei ddwylo dros ei gorff. Roedd ei freichiau'n iawn, beth bynnag – ond beth am ei goesau, a'i draed? Roedden nhw'n brifo, oedden, ond o leiaf roedd o'n gallu eu symud nhw – er eu bod nhw'n teimlo fel petaen nhw wedi cael eu cicio'n greulon gan hanner dwsin o ddynion yn gwisgo esgidiau hoelion.

Llwyddodd i droi a mynd ar ei bedwar. Roedd o wedi bod yn gorwedd ar domen o lo, sylweddolodd; lympiau anferth efo ochrau miniog fel dannedd. Gallai eu teimlo'n brathu i mewn i'w ddwylo a'i bengliniau.

Wrth deimlo'i ffordd ar hyd ochr y dram, deallodd fod y tryc bychan yn gorwedd ar ongl, a bod bwlch rhwng ochr y dram a'r postyn pren. Doedd o ddim yn un llydan iawn, ond llwyddodd John i gropian trwyddo.

Tasa ond gen i rywfaint o oleuni, meddyliodd. *Basa'r llygedyn lleiaf yn gwneud y tro.*

'Jo . . .?' meddai. 'Jo . . .?'

Dim ymateb.

Roedd hi mor dywyll yna, roedd arno ofn symud. Doedd wybod beth oedd yn aros amdano yn y tywyllwch – yn aros i'w frathu, ei daro, ei gicio.

'Jo?'

Dim.

Roedd o yna ar ei ben ei hun, ac erioed wedi teimlo mor unig. Eisteddodd ar y ddaear, yng nghanol y lympiau glo bob siâp, a'i dalcen yn pwyso yn erbyn ei bengliniau.

'Mam,' meddai. 'Mam . . .'

'Ble ma'r gwasaneth achub?'

Dyna'r geiriau oedd ar wefusau pawb i fyny ar yr wyneb. Gwelodd Magwen fod yna ddryswch mawr o gwmpas ceg Pwll Lancaster, a neb i'w gweld fel petaen nhw'n siŵr iawn beth i'w wneud nesaf.

'Ble ma'r gwasaneth achub?'

Ond eto roedd yna brysurdeb mawr o'i chwmpas hi hefyd, a dynion yn rhedeg yn ôl ac ymlaen gan gario bordiau pren a blancedi ac ambell i elor.

O, John, John . . . meddyliodd.

'Ma byw efo chi'ch dau fel rhannu tŷ efo ci a chath!' cwynai Cêti'n aml, oherwydd roedd Magwen a John yn gwneud dim byd ond tynnu ar ei gilydd a ffraeo drwy'r amser.

'Mae o'n mynd ar fy nerfa i!' byddai Magwen yn dweud does wybod sawl gwaith mewn diwrnod. Ond nawr rhoddai Magwen y byd am gael gweld ei brawd yn cerdded tuag ati, am ei deimlo'n rhoi plwc pryfoclyd i'w gwallt glân â'i fysedd budron, ac am ei glywed yn ei galw hi'n Magi unwaith eto.

Roedd hi'n sefyll efo'i mam, y ddwy â'u breichiau am ei

gilydd yn dynn dynn. Roedd llygaid Cêti wedi'u hoelio ar geg y pwll, ac roedd ei hwyneb – fel wyneb pob dynes arall a safai yno – yn wyn fel y galchen, a'i llygaid yn fawr yn ei phen.

Mae'n siŵr fy mod innau'n edrych fel'na hefyd, meddyliodd Magwen, ac yna sylweddolodd ei bod hi'n gweddïo: *O-plis-Duw-ac-Iesu-Grist-edrychwch-ar-ôl-ein-John-ni* . . .

Yna clywodd Magwen un gair a gododd yr ofn mwyaf ofnadwy ar bawb. A meddyliodd – dyma'r unig dro i'r gair arbennig hwn wneud i mi deimlo'n oer.

A'r gair hwnnw oedd . . . *tân*.

Cododd John ei ben oddi ar ei bengliniau. Gallai daeru ei fod o newydd glywed sŵn annisgwyl yn dod o rywle yn y tywyllwch.

Sŵn rhywun yn griddfan.

'Helô?'

Gwrandawodd yn astud. Dim smic, heblaw am yr hen dwrw siffrwd annifyr hwnnw wrth i ragor o lwch glo syrthio o'i gwmpas fel glaw sych.

Dychmygu wnes i, meddyliodd. Roedd arna i isio meddwl fod yna rywun arall yma efo fi, felly dyma fi'n dychmygu fy mod i'n clywed rhywun.

Sychodd ei dalcen. Sylweddolodd fod ei grys yn wlyb. Sut . . .?

Roedd o'n chwysu, dyna pam – yn chwysu chwartiau. Oherwydd roedd hi'n *boeth* yna.

Doedd hyn ddim yn beth cyffredin. Fel arfer roedd hi'n oer o dan y ddaear, hyd yn oed ar ddiwrnod o haf, ac roedd yn rhaid i'r glowyr symud a gweithio er mwyn cadw'n weddol gynnes.

Yna clywodd John y sŵn griddfan eto.

Roedd rhywun arall yna! Doedd o *ddim* yn dychmygu pethau wedi'r cwbwl! Ac roedd y sŵn wedi dod o rywle a oedd yn o agos ato, hefyd.

'Jo?' meddai eto. 'Jo!'

Aeth ar ei bedwar eto a dechrau cropian yn ofalus dros y llawr, gan geisio peidio â meddwl am y darnau bychain o lo a oedd yn tyllu i mewn i'w ddwylo a'i goesau wrth iddo symud drostyn nhw.

'Jo . . .? Mr Dando . . .?'

Aros, a gwrando. Dim byd . . . ond yna daeth sŵn peswch go boenus o'r tywyllwch, ychydig i'w chwith. Sgrialodd John tuag ato ac un llaw yn cribo'r tywyllwch o'i flaen . . .

. . . nes o'r diwedd cyffyrddodd â rhywbeth meddal, cynnes. Wrth iddo redeg ei law drosto, sylweddolodd mai wyneb a phen moel Jo Dando oedd yno.

'Jo!' meddai. '*Jo!*'

Gwyrodd a rhoi ei glust dros lle y tybiai roedd ceg Jo . . .
ac oedd, roedd o'n gallu ei glywed yn anadlu. Ychydig yn
boenus, efallai, fel petai ganddo annwyd trwm ar ei frest,
ond roedd o *yn* anadlu.

Diolch byth!

Yna sylweddolodd John ei fod yn gallu gweld siâp pen Jo'n
gorwedd ar y llawr o'i flaen. Sut oedd hynny'n bosib, a hithau
mor ofnadwy o dywyll yna? Efallai bod ei lygaid yn dechrau
arfer â'r tywyllwch.

Ond na.

Pan edrychodd i fyny, gallai weld fod yna ryw fath o oleuni
coch yn y pellter. Beth ar y ddaear oedd o? Oedd rhywun yn
dod i'w hachub nhw?

Na, nid goleuni felly oedd o. Roedd hwn fel petai o'n crynu
trwyddo, rywsut, ac yn newid lliw o goch i oren ac yna'n ôl i
goch.

A sylweddolodd John beth oedd o, yr un eiliad ag y
sylweddolodd pam roedd y pwll yn teimlo mor ofnadwy o
boeth.

Roedd y pwll ar dân.

Cyrhaeddodd y gwasanaethau achub o'r diwedd, a chafwyd gwell trefn ar bethau'n syth.

'Ond y broblem yw,' meddai un o'r swyddogion, 'allan nhw ddim mynd miwn nes bod y tân wedi'i ddiffodd. Ma nhw'n gwitho ar hwnna nawr.'

Ond roedden nhw *yn* gallu dod â rhai o'r glowyr allan, y rhai oedd rhwng y man ble roedd y tân ar ei waethaf, a Phwll York. Roedd y rhai oedd yn dal i fod yn fyw wedi cael eu llosgi gan y ffrwydrad, ac eraill wedi cael eu torri a'u cleisio'n ddrwg pan gawson nhw'u taflu yn erbyn y muriau neu'r tryciau.

Ond roedd y rhan fwyaf yn gorwedd yn hollol lonydd ar eu helorwelyau, o'r golwg, a chwrlid dros eu pennau.

Alla i ddim edrach arnyn nhw, meddyliodd Magwen, *ond ar yr un pryd, alla i ddim peidio chwaith.* A'r peth gwaethaf amdanyn nhw oedd y modd roedd ambell law i'w gweld yn hongian dros ochr yr elor, neu'n llusgo'n ddi-hid dros wyneb y llawr, wedi cael eu hysgwyd yn rhydd wrth i'r elorwelyau gael eu cludo.

Disgwyliai'r merched mewn rhesi wrth ymyl yr elorwelyau ofnadwy hyn. Fesul un, a'u dwylo'n crynu gan ofn, cydiai'r gwragedd a'r mamau, y merched a'r chwiorydd, mewn cornel o'r cwrlid a'i chodi'n araf, bob un ohonyn nhw'n ofni gweld wyneb roedden nhw'n ei garu yn gorwedd yno. Roedd rhai'n troi i ffwrdd ag ochenaid o ryddhad, eraill ond yn ysgwyd eu pennau – ond roedden nhw i gyd yn gwybod fod yn rhaid iddyn nhw wneud hyn dro ar ôl tro ar ôl tro, nes y deuai eu tro hwythau, hefyd, i riddfan a beichio crio.

Yna cyrhaeddodd Edward Williams yn ei ôl, wedi anghofio popeth am ei ddannodd, a'i wyneb yntau, fel pawb arall, yn llawn braw.

'Mae Nhad yn ei ôl, Mam,' meddai Magwen pan welodd hi Edward yn brysio tuag atyn nhw.

Ddywedodd Cêti'r un gair, dim ond parhau i syllu i gyfeiriad y pwll lle roedd y criwiau achub yn gweithio fel coblynnod.

'Mam . . .?'

Cyrhaeddodd Edward nhw a cheisio rhoi ei fraich am ei wraig, ond ysgydwodd Cêti hi i ffwrdd yn ddiamynedd.

'John . . .?' gofynnodd Edward.

Ysgydwodd Cêti'i phen. Doedd hi ddim wedi edrych ar ei gŵr o gwbl.

Be sy'n bod arni? meddyliodd Magwen. *Pam mae hi'n ymddwyn fel hyn?* Roedd hi wedi disgwyl y byddai ei mam wedi cofleidio'i thad, yn falch o'i weld, fel roedd Cerdiwen Dando wedi cofleidio Bili.

Trodd Edward gan edrych fel dyn ar goll yn lân. Gwelodd
fod yna ddynes â gwallt hir gwyn yn sefyll ychydig i ffwrdd
gyda Bili Dando a gweddill y plant, yn syllu arno. Pwy gebyst
oedd hi? – a sylweddolodd Edward mai Ceridwen oedd hi.
Ond be oedd wedi digwydd i'w gwallt?

Yna trodd Ceridwen ei chefn arno hefyd.

'Dwi . . . dwi am fynd i weld be fedra i neud i helpu,' meddai
Edward.

Gwyliodd Magwen ei thad yn cerdded i ffwrdd. 'Nhad!'
gwaeddodd.

Ond chlywodd Edward
mohoni. Er bod
cannoedd o bobol o'i
gwmpas, meddyliodd
Magwen ei fod yn
edrych yn ofnadwy
o unig.

Sut mae dyn mor fychan
yn gallu pwyso mor drwm?
meddyliodd John. Cofiai sut roedd plant
y Dandos un diwrnod yn ystod yr haf wedi gwthio

Jo i fyny ac i lawr y stryd mewn berfa, ac yntau'n morio canu 'Men of Harlech' dros y lle.

Ond roedd ceisio'i symud o nawr fel ceisio symud llond dram o lo. Y gwres yma sydd ar fai, penderfynodd John. Gallai weld ychydig mwy erbyn hyn, ond doedd hynny ddim yn newyddion da, oherwydd golygai fod y tân yn dod yn nes.

Ac wrth losgi, roedd y tân yn sugno hynny o awyr iach oedd yn y pwll. Cyn bo hir, fyddai dim ar ôl i John a Jo.

Ceisiodd beidio â meddwl am y nwyon – yn enwedig yr un mwyaf cas ohonyn nhw i gyd, yr *after damp*.

'Dowch, Jo, *plis* helpwch rywfaint arna i,' sibrydodd John.

Llwyddodd i lusgo Jo ychydig mwy cyn gorfod aros i gael ei

wynt ato. Yna wrth droi, teimlodd rywbeth gwahanol o dan ei droed. Rhywbeth meddal, a rhywbeth caled y tu mewn iddo.

Y Tomi-bag!

O, diolch diolch diolch! Tynnodd ei fflasg ddiod ohono. Roedd y fflasg yn llawn o de oer. Er ei fod o bron â marw o eisiau diod ei hun, penderfynodd John fod mwy o'i angen ar Jo. Tywalltodd ychydig dros ei wefusau . . . yna ychydig mwy . . .

. . . a phesychodd Jo wrth i'r te lifo i lawr ei wddf. Yng ngoleuni coch gwan y tân, gwelodd John ef yn agor ei lygaid.

'Bili . . .?' meddai Jo.

'Na – John. John Williams, drws nesa,' atebodd John.

'Bili,' meddai Jo eto, cyn suddo'n ei ôl.

Gwlychodd John rywfaint ar ei wefusau ei hun cyn rhoi'r fflasg yn ddiogel y tu mewn i'w grys. Efallai bod y te wedi helpu, neu efallai mai'r ffaith fod Jo wedi agor ei lygaid am eiliad oedd yn gyfrifol, ond daeth John o hyd i ragor o nerth o rywle – digon i lusgo Jo ymhellach i fyny'r twnnel ac oddi wrth y tân.

Y tân a ddeuai'n nes ac yn nes at y tro yn y pen pellaf, fel llanw coch yn dod i mewn yn benderfynol.

'Fydd neb wedi gallu byw trw shwt dân,' clywodd Edward un o'r dynion eraill yn dweud.

Daeth Edward Williams yn agos iawn at ei daro. Onid oedd y dyn yn deall mor bwysig oedd gobaith? Diolchodd fod 'run o'r merched yn ddigon agos i'w glywed o'n siarad fel yna.

Yna daeth y gair o'r pwll – roedden nhw'n meddwl eu bod nhw wedi llwyddo i ddiffodd y tân. Edrychodd y dynion achub ar ei gilydd. Rŵan amdani, golygai'r edrychiad. Dyma pryd byddai eu gwaith yn cychwyn go iawn.

Roedd Cêti'n crynu trwyddi, yn crynu fel deilen. Rhedodd Magwen adref i nôl cotiau a sioliau iddyn nhw'u dwy. Wrth fynd, meddyliodd am yr hyn a glywodd rywun yn ei ddweud yn gynharach – sef bod y tân wedi troi tu mewn y pwll yn ffwrnais.

Ffwrnais! Cofiodd Magwen am yr holl droeon y bu hi'n eistedd o flaen y tân yn y gegin, yn syllu i mewn i'r fflamau ac yn meddwl fod rhywbeth tlws iawn am y lympiau o lo coch yng ngwaelod y tân.

Nawr, ni allai feddwl amdanyn nhw heb ddychmygu John yn eu canol.

Roedd y te wedi'i orffen, a'r fflasg yn wag.

Be wna i rŵan? meddyliodd John. Alla i ddim llusgo Jo fawr

pellach; dwi'n gorfod gorffwys am funudau hirion ar ôl ei dynnu fo droedfedd neu ddwy.

Ac roedd hi'n mynd yn fwy a mwy anodd ailgydio ynddo fo a'i dynnu droedfedd neu ddwy arall. Gyda phob herc, roedd John yn anadlu fel petai o newydd redeg mewn ras – a doedd anadlu ddim yn hawdd erbyn hyn. Os rhywbeth, roedd anadlu'n ei frifo – yn llosgi: roedd o'n sugno gwynt poeth i mewn i'w ysgyfaint, ac wrth anadlu allan, disgwyliai John weld mwg a fflamau'n dod o'i geg, fel y dyn hwnnw a welodd o'n bwyta tân pan ddaeth y syrcas i Senghennydd ddwy flynedd ynghynt. Tasa hwnnw yma rŵan, meddyliodd, mi fasa fo'n cael llond ei fol o fwyd!

'Yn basa, Now?' meddai.

Rywsut, roedd Now Be Nesa wedi cyrraedd o rywle ac yn eistedd wrth ei ochr, yn syllu i lawr arno.

'Be – oedd o'n bwyta tân, go iawn?' meddai Now. 'Paid â'u deud nhw, John Wilias!'

'Oedd, wir – ar fy marw,' meddai John. 'Roedd ganddo fo ddwy ffon hir, a'r rheiny'n llosgi, ac i mewn i'w geg â nhw, yr holl ffordd i lawr ei gorn gwddw fo.'

'Wel!' ebychodd Now. 'Be nesa?'

'Ew, wyddost ti be, yr hen Now? Dwi wedi dy golli di, sti,'

meddai John, ond pan drodd ac edrych, roedd Now wedi mynd i rywle.

'Mond chi a fi sy ar ôl rŵan, Jo,' meddai. 'Peidiwch â phoeni, wna i ddim gadael i chi ddiflannu.'

Cydiodd yn dynn yn Jo Dando a chaeodd ei lygaid. Pum munud bach arall, meddyliodd, pum munud bach arall . . .

'Na, un funud – ma'r crwt yma'n *fyw*, 'achan!'

'Beth?'

'Odi! Wy newydd weld 'i geg e'n symud . . .'

Gallai John glywed y lleisiau, ond doedd ganddo mo'r nerth i agor ei lygaid. Be oedd yn *bod* ar y bobol yma? 'Doedden nhw ddim yn gallu gweld fod angen ei holl nerth arno i ddal ei afael yn Jo Dando? Doedd o ddim am adael i Jo fynd oddi wrtho nawr, ac yntau wedi mynd i'r holl drafferth i'w lusgo fo bob cam.

'Yffach! Paid gweud 'i fod e 'di llusgo'r dyn yma 'da fe!' meddai rhywun.

Wel, ydw! meddyliodd John. Dyna be dwi'n ceisio'i ddweud wrthoch chi – gwrandwch arna i, wnewch chi!

Yna clywodd lais arall – llais roedd o'n ei adnabod.

'John? John! W't ti efo ni, 'rhen ddyn?'

'Nhad?'

Agorodd John ei lygaid, dim ond i orfod eu cau'n syth bìn oherwydd roedd rhyw ffŵl yn sgleinio golau cryf yn ei wyneb. Ond cafodd gip ar wyneb ei dad yn syllu i lawr arno.

Ac roedd Edward Williams yn crio.

Wedyn

Clywodd John wedyn sut y bu farw 439 o ddynion a bechgyn yn y drychineb ofnadwy honno yn Senghennydd.

'Roeddet ti'n lwcus iawn,' meddai pawb wrtho.

'Oeddwn, dwi'n gwbod,' atebai John bob tro.

Ond cyn bo hir dechreuodd flino ar glywed pawb yn dweud hyn wrtho. Sylwodd sut y byddai rhai pobol yn ei ddweud mewn ffordd ddigon od – bron fel *nad oedden nhw*'n hoffi bod John wedi bod yn ffodus i ddod allan o'r pwll yn fyw.

'Paid â bod yn wirion, does yna neb yn meddwl y ffasiwn beth, siŵr,' meddai Cêti wrtho.

'O? Be am Bili drws nesa?' meddai John.

Edrychodd Cêti i ffwrdd. 'Rho amsar iddo fo, John. Mae o'n gwbod dy fod di wedi gneud d'ora glas i achub ei dad, druan.'

'Ond wnes i ddim llwyddo, yn naddo?' meddai John. 'Ac ma Bili'n siŵr o fod yn gweld bai arna i am hynny.'

Roedd Jo Dando *yn* fyw pan gafodd o'i dynnu allan o'r pwll yr un pryd â John. Ond nid am hir iawn – dim ond digon i agor ei lygaid un waith. Roedd o wedi dechrau gwenu pan welodd o wyneb Ceridwen uwch ei ben. Ond yna diflannodd y goleuni o'i lygaid am byth.

'Nid lwc yn unig oedd o, beth bynnag,' meddai Magwen wrth John un noson.

'Na? Be arall oedd o?' sibrydodd John.

Roedd yn rhaid iddo sibrwd am wythnosau ar ôl y danchwa, oherwydd roedd yr aer boeth, wenwynig yn y pwll wedi effeithio ar ei lais. Bu'n hir iawn cyn gallu siarad fel o'r blaen, a deallodd fod y gwynt poeth wedi llosgi rywfaint ar y tu mewn i'w wddf. Ac er ei fod o wedi mendio yn y diwedd, roedd o'n gallu blasu'r llwch glo yn ei geg am weddill ei fywyd.

Meddai Magwen, 'Mi wnes i weddïo drostat ti, John.'

'Do?'

Nodiodd Magwen. 'Fel dwi erioed wedi gweddïo o'r blaen yn fy mywyd.'

'O . . .' meddai John. 'Y . . . diolch, Magi.'

Doedd o ddim yn siŵr iawn beth i'w ddweud. Meddyliodd fod pob dynes a phob merch – a phob dyn, hefyd, pawb a oedd yn disgwyl ar ben y pwll – wedi bod yn gweddïo'n galed iawn hefyd.

Er i weddi fach Magwen gael ei hateb, meddyliodd John, chafodd 439 o weddïau mo'u hateb. Oeddwn, roeddwn i *yn* lwcus iawn.

Ond, meddai amryw o bobol, nid mor lwcus â'i dad. I gael y ddannodd, ar yr union ddiwrnod y chwythodd y pwll!

'Wyddost ti fod yna amryw isio ysgwyd fy llaw, yn y gobaith o gal rhywfaint o lwc dda?' meddai Edward Williams. 'Fel taswn i'n ddyn glanhau'r simdda ne' rywbath.'

Ond roedd pobol eraill yn ei osgoi; un ai'n troi eu cefnau arno gan ei anwybyddu, neu'n croesi'r stryd er mwyn osgoi gorfod edrych arno – hyd yn oed pobol o'r côr a'r capel.

Fel petawn i'n cario anlwc efo fi i bobman, yn ei wisgo fo fel dwi'n gwisgo fy nghap neu fy nghôt, meddyliodd Edward Williams.

Ac roedd hyn yn ei boeni'n ofnadwy.

Daeth Ceridwen Dando draw un noson, yn fuan ar ôl angladd Jo. Roedd arni eisiau siarad ag Edward, ond y peth cyntaf a ddywedodd hi oedd, 'Wy ddim yn gwbod beth i weud wrthot ti, Edward.'

Doedd hi ddim yn gallu edrych arno'n iawn, sylwodd Edward. Roedd ei gwallt wedi aros yn wyn fel blawd, ac felly y byddai ganddi weddill ei hoes.

'Y peth yw, roeddet ti i *fod* yno'r diwrnod hwnnw,' meddai Ceridwen.

'O, Ceri, dwi'n *gwbod* hynny!' meddai Edward. 'Dwi ddim

wedi gallu meddwl am ddim byd arall.'

Nodiodd Ceridwen yn araf. 'Nag w't, sbo. A wy'n gwbod taw fi wedodd wrthot ti am fynd i weld y deintydd. Ond . . . wel, ma llawer o bobol yn credu na ddylet ti fynd 'nôl yno.'

'Be? Yn ôl i weithio?' meddai Edward.

'Ie. Ma nhw'n credu nad yw'r pwll wedi bennu 'da ti eto.'

'Wel, am lol!' ebychodd Cêti. 'Chlywis i erioed y fath nonsans. Ceridwen – dw't *ti* ddim yn meddwl hynny, gobeithio?'

Unwaith eto, methodd Ceridwen ag edrych i fyw llygad Cêti. 'Nagw,' meddai. 'Dodd Jo ddim i fod yno, yn nag odd? 'Se fe 'di aros gyda Bili ym Mhwll York . . . ma'r pwll wedi'i gal e yn lle Edward.'

Roedd Edward Williams yn dawel iawn ar ôl iddi fynd. O'r diwedd, meddai, 'Ma hynna'n egluro llawar, Cêt.'

'Lol botas maip!' meddai Cêti.

'Ti'n meddwl?' Cododd Edward ei ben yn araf ac edrych arni. '*Pam hwn?* – dyna be sy'n mynd trwy'u meddylia nhw i gyd, bob tro y byddan nhw'n taro llygad arna i. *Pam ma hwn wedi cal byw?* Dwi ddim yn ddall, Cêti. Cal tynnu fy nant wnes i'r diwrnod hwnnw, nid fy llygad. Dwi'n gallu'i weld o'n blaen ar eu hwyneba nhw – pobol oedd yn arfar bod yn ffrindia efo fi. Mi welis i o heno, yn wynab Ceridwen.'

Arhosodd am ychydig, ac yna meddai, 'Ac mi welis i o ar dy wynab ditha hefyd, Cêt, pan oeddat ti'n aros wrth geg y pwll.'

'Edward – na!'

'O, dwi ddim yn gweld unrhyw fai arnat ti, Cêt fach. Wedi'r cwbwl, roeddat ti bron â drysu, yn poeni am John . . .'

'O'r gora, Edward, dyna ddigon!' meddai Cêti. 'Dwi ddim isio clywad hen siarad gwirion fel yna yn y tŷ yma eto, wyt ti'n dallt?'

Ddywedodd Edward ddim mwy. A mynd yn fwy a mwy tawedog a wnaeth o wrth i'r dyddiau, ac yna'r wythnosau, fynd heibio. Do, aeth yn ei ôl i'r pwll, ond bu farw rhywbeth y tu mewn iddo yntau hefyd ar y diwrnod ofnadwy hwnnw'n ôl ym mis Hydref.

Roedd Cêti'n poeni'n fawr amdano. Ni fedrai gofio'r tro diwethaf iddi weld ei gŵr yn gwenu, heb sôn am ei glywed o'n chwerthin. Dechreuodd fynd allan ar ei ben ei hun am oriau, gan gerdded y mynydd tan berfeddion.

'Mae fel tasa 'na gwmwl du uwch ei ben o drwy'r amsar,' meddai Cêti wrth Ceridwen un diwrnod.

Ddywedodd Ceridwen ddim byd yn ôl, er iddi edrych yn bur anghyfforddus pan soniodd Cêti am y cwmwl du hwnnw.

Un noson oer o Chwefror, aeth Edward Williams allan eto.
Dechreuodd fwrw eira yn o fuan wedyn, a disgwyliodd Cêti
ei weld o'n dychwelyd adref wedi fferru. Ond ddaeth o ddim.
Aeth yr oriau heibio fesul un, a syrthiodd yr eira'n drymach ac
yn drymach. Yn y bore, aeth criwiau o ddynion allan i chwilio
amdano. Daethant o hyd iddo ar ochr y mynydd, yn eistedd
yno wedi'i rewi'n gorn a'i ddwylo ym mhocedi ei gôt, yn
edrych yn union fel petai o wedi mynd i gysgu.

Ac mewn ffordd, meddyliodd John wedyn, dyna'n union be wnaeth o. Eistedd i lawr yn yr eira, cau'i lygaid . . . a mynd i gysgu.

Yn y gwanwyn, aeth Cêti, John a Magwen yn ôl adref. Yn ôl i'w Hen Adra.

'Dwi wedi cal digon ar yr hen le yma, John,' meddai Cêti, a edrychai flynyddoedd yn hŷn na'i hoed erbyn hynny. 'Rhaid i mi gal mynd adra.'

Wrth i'r trên gychwyn o'r orsaf, cafodd John drafferth tynnu ei lygaid oddi wrth y pwll. Gwyddai y byddai'n breuddwydio amdano weddill ei fywyd.

'Wna i mo d'anghofio di, Senghennydd,' meddai'n dawel. 'Fyth. Na chitha chwaith,' meddai wrth ysbrydion yr holl ddynion a hogia ifanc – yr holl fytis a gollodd eu bywydau'r diwrnod hwnnw. 'Mi fyddwch chi efo fi tra bydda i byw.'

Dechreuodd droi i ffwrdd, ond yna sylwodd fod rhywun yn sefyll wrth y tryciau y tu allan i'r orsaf, yn gwylio'r trên yn mynd.

Bili Dando.

Am eiliad, edrychodd John a Bili i fyw llygaid ei gilydd. Yna hanner cododd Bili ei law fel petai'n mynd i'w chwifio, ond wedi newid ei feddwl y funud olaf.

Trodd gan gefnu ar y trên a cherdded yn ei ôl.

Am Senghennydd.

Epilog

14 Hydref 1963

Hanner can mlynedd yn ddiweddarach, wrth wylio'r glaw yn disgyn dros Gae Pawb, cofiodd John Williams am ei eiriau o ffarwél i Senghennydd a'i phobol.

Yn enwedig y meirw.

'Wna i mo d'anghofio di . . . mi fyddwch chi efo fi tra bydda i byw.'

Nag oedd, doedd o ddim wedi gallu anghofio, er gwaethaf ei holl ymdrechion.

Cododd ar ei draed a phoeri. Gallai daeru ei fod o'n medru blasu llwch glo yn ei geg unwaith eto.

Tybed oedd Magwen yn gwybod am y rhaglen deledu heno? Tybed oedd hi *eisiau* gwybod? Roedd hi'n byw yn Llundain ers blynyddoedd lawer, wedi priodi dyn oedd yn gweithio i un o'r banciau mawr. Doedd John a hi byth bron yn gweld ei gilydd y dyddiau yma; cerdyn Nadolig a cherdyn pen-blwydd, dyna'r cwbwl.

Y gwir amdani oedd (a doedd John ddim wedi sôn am hyn

wrth Betsan), roedd y BBC wedi ysgrifennu ato'n gofyn iddo gymryd rhan yn y rhaglen, ond roedd o wedi gwrthod. Diolch . . . ond na, dim diolch. Nawr, fe'i holodd ei hun: tybed wnes i'r peth iawn?

Wel, meddyliodd, mae'n rhy hwyr rŵan.

Ond roedd o'n iawn ynglŷn ag un peth – doedd arno ddim angen help unrhyw raglen deledu i gofio Senghennydd. Onid oedd o newydd wneud hynny nawr, ar ei ben ei hun?

Oedd, roedd o wedi cadw'r addewid a wnaethai bron iawn i hanner can mlynedd yn ôl i bobol Senghennydd – y byw a'r meirw.

Amhosib, wedi'r cwbwl, yw anghofio rhai pethau.